新　潮　文　庫

い　っ　ぽ　ん　桜

山本一力著

新　潮　社　版

7780

目次

いっぽん桜

いっぽん桜

深川門前仲町《もんぜんなかちょう》の口入屋《くちいれや》（奉公人の斡旋《あっせん》業）、井筒屋重右衛門《いづつやじゅうえもん》が番頭の長兵衛《ちょうべえ》を料亭に誘い出したのは、三月七日の夕暮れどきだった。

「今年の出替《でがわ》りも、とどこおりなく乗り切れた。まずはご苦労さま」

あるじが差し出した徳利を、長兵衛が両手持ちの盃《さかずき》で受けた。陽が足早に落ちていた。富岡八幡宮《とみおかはちまんぐう》わきの料亭志の田の築山《つきやま》が、あかね色と薄墨色とが交じり合ったひかりに染められていた。

長兵衛が旨《うま》そうに飲み干した。

目方は十五貫（約五十六キロ）だが上背が五尺六寸（約百七十センチ）ある長兵衛は、井筒屋お仕着せの縦縞《たてじま》がよく似合った。

今年で五十四歳の長兵衛は、髪にも眉《まゆ》にも白髪《しらが》はない。瞳《ひとみ》は大きく、手代《てだい》に指図を下すときには、目に力をみなぎらせて相手を見詰める。手代はだれもが、我知らずにぴんと背筋を張った。

ひとたび下した判断は、長兵衛は軽々には変えない。わるくいえば融通がきかないということだが、ぶれずに突き進む強さにもつながる。

この長兵衛の気性が、井筒屋の商いを大きく伸ばしたのは間違いのないところだった。

大仕事を乗り切った満足感と、酒の旨さとが重なり合ったような番頭の顔を見てから、重右衛門も盃を干した。

「仙太郎がいうには、今年の周旋は二千人の大台を超えたそうじゃないか」

盃を膳《ぜん》に戻した長兵衛が、あるじの言葉にうなずいた。

「若旦那《わかだんな》様がおっしゃられた通りでして。これだけの奉公人が扱えますのは、うちのほかは芳町《よしちょう》の千束屋《ちづかや》だけでございましょう」

番頭がわずかに胸を反らせた。

重右衛門が鷹揚《おうよう》にうなずき返した。

「それにしても二千人とは大したものだ。おまえさんあってのことだと、仙太郎からも口を重ねて聞かされた。とにかくご苦労さま」

重右衛門がまたもや差し出した徳利を、長兵衛は右手だけで持った盃で受けた。あるじは顔色を動かさずに注いだが、膳に徳利を戻すと軽く咳払《せきばら》いをした。

「ここ一年ほど、あたしは仙太郎の働きぶりを見てきた。どうやら商いが分かってきたように見えるが、どうだろう？」

「まことに左様でございます。帳面の見方にしましても手代への指図にしましても、じつに堂に入ったものでございます」

「おまえもそう思うか」

問われた長兵衛が何度もうなずいた。それを見定めて、重右衛門が顔つきをあらためた。

「おまえが請け合ってくれたから安心していうが、あたしは近々隠居するつもりだ」

「えっ」

「おまえには言わなかったが、前々から思案してきたことだ」

「左様でございますか……」

「こうして差し向いになったのは、あたしが隠居するにおいて、折り入っての頼みがあってのことだ」

あるじが番頭を真正面から見詰めた。

「どのようなことでございましょう」

「店を譲れば、商いの舵取《かじと》りは仙太郎が責めを負うことになる」

長兵衛があるじから目を逸《そ》らさず、忙《せわ》しなく首を上下に動かした。

「しかし若い仙太郎ひとりには荷が重いだろうことは、火を見るより明らかだ」

「左様かも知れませんです……」

あとの成り行きを先取りしたのか、長兵衛の声がいささか弾んでいる。そんな番頭を前にして、重右衛門が背筋を張った。

「仙太郎とよくよく話し合ったが、あれは若いなりに商いの先行きを見定めていた。この先の思案も幾つか聞かされた。それが聞けたことで、あたしもあれの好きなように舵取りをさせてみようと肚《はら》を決めた」

「……」

「おまえにはよく尽くしてもらったが、これからの井筒屋は若い者たちに任せたい。あたしと一緒に、おまえも身を退《ひ》いてくれ」

長兵衛が息を呑《の》んだような顔になった。泉水の鹿威《ししおど》しが、コーンと乾いた音を立てた。

一

志の田を出たふたりは、仲町の辻《つじ》まで話が弾まないままに戻ってきた。井筒屋はこの角を右手に折れた二軒目だ。

五ツ（午後八時）を過ぎており、どの商家も明りを落して雨戸を閉じている。曇り空で月明りもなく、幅広い通りの両側が闇《やみ》に溶けていた。

「あたしはこのまま帰るが、おまえは店に立寄るかね」

「志の田の提灯《ちょうちん》がございますので、てまえもこのまま帰らせていただきます」

「そうか」

暗がりで番頭を見詰めるあるじの目が、強い光を帯びていた。

「それでは明日からのことは、くれぐれもよろしく頼んだよ」

長兵衛は返事の代わりに深々とあたまを下げた。あるじが暮す奥の玄関は、店のわきを入ったところに構えられている。井筒屋の角を折れた重右衛門が暗がりに消えてから、長兵衛は深い溜《た》め息《いき》をついた。

しばらく佇《たたず》んでいた長兵衛だったが、提灯の蠟燭《ろうそく》を確かめると、辻を渡り、永代橋《えいたいばし》に向って歩き始めた。

宿に戻る道とは逆である。

通い番頭長兵衛の宿は、冬木町《ふゆき》の二階家だ。七年前、四十七歳で井筒屋頭取番頭に就いたおりに、深川黒江町《くろえ》から引っ越した。

小さな庭付きの借家は、店賃《たなちん》が月に銀二十匁《もんめ》（千六百六十文）もかかった。深川界隈《かいわい》の裏店《うらだな》なら、らくに三軒は借りられる高い店賃である。

しかし給金が月にならして三両二分（銀二百十匁）の長兵衛には、払えない額ではなかった。

なにより深川井筒屋といえば、大川の向うでも名の通った口入屋である。そこの頭取番頭としての体面を考えて、長兵衛は冬木町の二階家を借りた。

連れ合いと娘ひとりの長兵衛には、いささか広過ぎる借家である。女房のおせきは暮して七年過ぎたいまでも、広くて掃除が大変だとこぼしている。

「広いからと文句をいう女房がどこにいる。回りの裏店に暮す連中を見てみろ、六畳ひと間に親子四人が重なり合って暮しているぞ」

「それは分かりますけどねえ、三人暮しに二階家は広過ぎますって。あたしには、黒江町の平屋で充分でしたよ。店賃だってずっとお安かったですから」

「ばかなことをいいなさんな。あたしは井筒屋の頭取番頭だ。そんなあたしが狭い家に暮していては、お店《たな》が世間様に笑われるんだ」

口争いの都度、長兵衛は井筒屋の頭取番頭を引合いに出して女房を黙らせた。口答えしつつも、おせきも亭主が井筒屋勤めであることを陰では自慢している。

冬木町に越したのは桜の盛りどきだった。

長兵衛は平野町の植木屋に、桜を一本植えて欲しいと頼んだ。新居の庭には充分な広さがあったからだ。

桜を注文したほんとうのわけは、長兵衛はだれにも、家族にも話していない。照れくさくて、とても言える話ではなかった。

冬木町に越したとき、ひとり娘のおまきは十四歳だった。縁づいて嫁ぐ歳《とし》にはまだ先があったが、長兵衛にはさほどに長い先のこととは思えなかった。

仕事ひと筋で、娘に構ってやれずにきた。

人前だけではなく、家族しかいない場でも、娘にはことさら厳しいことしか言ってこなかった。が、内心では正月を迎えるたびに器量が増してゆくおまきが、可愛《かわい》くて仕方がなかった。せめて嫁ぐまでの数年、娘と存分に花見がしてみたかった。娘と妻の手料理で、人目を気にしない花見がしたいと、ひそかな願いを抱えた。

しかし仕事を休むことはできない。

花見ができるのは、日の出過ぎから、勤めに出るまでの一刻《ひととき》（二時間）ほどだ。そんな都合のいい花見は、自宅の庭でしかできないと思った。

冬木町の新居は、それを楽しむのに障《さわ》りはなさそうだった。日当たりのよい庭なら、桜も見事な花を咲かせてくれるに違いない。

満開の桜の下で娘に酌をしてもらう姿を思い描き、ひとりで悦にいった。

「すぐに花を咲かせる桜が欲しいんだが」

言われた植木屋は鼻先で笑った。

長兵衛は井筒屋の半纏《はんてん》を見せた。植木屋は真顔になって長兵衛の誂《あつら》えを聞き始めた。

ひと月が過ぎたころ、植木屋が井筒屋に顔を出した。小僧に茶をいいつけてから、長兵衛は商い向きの客間に招じ入れた。

「いわくつきの、いっぽん桜なら手にへえりそうですが」

「なんだね、それは」

「大島《おおじま》村の農家が、日本橋の大店に地所を売り渡したらしいんでさ。そこにいっぽんだけ植わってた五十年物の桜なんでやすが、買主は桜がでえきれえだてえんでね。地主は木をでえじにしてくれるなら、二両で譲るから引き取ってくれてえんでさ」

わるい話ではなかった。

五十年物の桜なら、さぞかし枝ぶりも立派だろう。二両でいいというのも、頭取番頭とはいえ、実入りの限られている長兵衛にはありがたかった。

が、この話にはいわくがついていた。

「毎年、かならず咲くとは限らねえてえんでさ。それを承知で引き取れてえんですが、どうしやしょう」

植木屋の口調は、二両の安値につられて買うのは、さもばかな買い物だといわんばかりである。

長兵衛は迷わなかった。とにかく桜が欲しかったのだ。

十四歳になったおまきは、こどもから娘へと変わりつつあった。廊下の拭《ふ》き掃除で丸い尻《しり》を突き出したり、箱膳《はこぜん》を膝元《ひざもと》に出したあとでしなだれかかったりと、女の片鱗《へんりん》を見せて父親をうろたえさせた。

そんなときの長兵衛は、ことさら厳しい声音でおまきをたしなめた。そのかたわらで娘がいとおしくてたまらず、なにかおまきが喜ぶことをしてやりたいとの思いを、強く抱えていた。

庭に桜を植えれば、おまきが喜ぶのは分かりきっていた。それほどに娘は、こども時分から桜の花が好きだった。

常に井筒屋の舵取《かじと》りを思案している長兵衛は、家にいても家人とよもやま話をすることは、まれである。桜が植われば、おのれの振舞いは変わらずとも、連れ合いや娘との溝は埋まると考えた。

長兵衛の思惑はうまく運んだ。

「さくらの花がうちの庭で見られるなんて、夢みたい……」

五十年物の桜が植えられると知って、おまきは狭い庭を駆け回った。娘があまりに喜んだので、長兵衛は桜の咲き方にむらがあることを言いそびれた。

「花が咲かねえからって、文句はいいっこなしですぜ」

桜は五月に植えられた。

一年目はまったくつぼみをつけなかったが、おまきは桜の木が植わっているだけで満足していた。

「植え替えた翌年は、こんなこともある」

二年目、三年目も咲かなかった。

「葉桜がきれいだから」

おまきはすでに十七になっていた。

四年目は、それまでの帳尻を合わせるかのように見事に咲いた。庭に花びらの山ができたほどの咲きぶりだった。

ところがおまきは、つぼみのころにひいた風邪が長引いてしまい、花が散るまで微熱が下がらなかった。桜は咲いても朝は冷え込む。長兵衛はこの年も願いが果たせなかった。

おととしは咲かず、去年は見事に咲きそろった。六年越しの願いがかない、長兵衛は妻と娘に酒肴《しゅこう》の支度を言いつけた。

晴れた朝、日が昇り始めたなかで、三人は桜の下に集まった。が、前夜の花冷えで、地べたがすっかり凍えていた。

「花は見たいけど、寒くて我慢できない」

折悪《おりあ》しく、おまきは月のもののさなかだった。さっさとなかに戻る娘に、長兵衛は目を険しくした。女房から娘の身体《からだ》のわけを聞かされても、憮然《ぶぜん》とした顔は元に戻らなかった。

そして今年は。

どうやら咲かずじまいになりそうだった。

おまきは師走《しわす》の祝言《しゅうげん》が決まっていた。

相手は高橋《たかばし》の搗《つ》き米屋《ごめや》の次男坊である。仲人は娘の父親が井筒屋の頭取番頭だと売り込んで、首尾よく話をまとめた。

その井筒屋のあるじから、なんの前触れもなく身を退《ひ》けと言い渡された。あと一刻で町木戸が閉じるが、長兵衛は冬木町に帰る気にはなれなかった。

辻から永代橋まで重い足取りで歩いたあと、橋のたもとを右に折れた。提灯の先に蔵の連なりが浮かび上がった。

佐賀町河岸のとば口である。

長兵衛は蔵の手前を左に入り、大川に出た。提灯をかざすと桟橋が目の前に見えた。霊巌島《れいがんじま》への渡し舟が、桟橋の杭《くい》に舫《もや》われ放しになっている。風はないが大潮が近くて流れが速い。船端にぶつかった川水が、絶え間のない音を立てていた。

桟橋にしゃがみ込んだ長兵衛は、腰に提げた煙草《たばこ》入れを取り外した。キセルを包む袋は鹿皮《しかがわ》をなめした逸品である。キセルの火皿も銀細工の凝った拵《こしら》えだ。いずれも頭取に就いたおりに、重右衛門が祝儀にくれた品である。

煙草を詰めると提灯で火をつけた。強く吸ったことで、闇の中で火皿が真っ赤になった。吐き出した煙が流れない。定まらない目をした長兵衛の前を、白い煙が漂っていた。

口入屋の老舗《しにせ》井筒屋は、いまの当主重右衛門が七代目である。扱う奉公人の数は、一年でおよそ二千人。日本橋芳町の千束屋と肩を並べる大店だ。井筒屋は奉公先を求める者に成り代わり、給金と休みを掛合う。周旋するのは下男や下女などの下働きが主で、一年年季の奉公人がほとんどである。

口入屋は得意先と一年の約定でひとを出した。毎年三月五日が新しい約定の始まりで、この日を出替りと呼ぶ。井筒屋重右衛門が隠居話を切り出したのも、出替りを無事に乗り越えたからだった。

井筒屋は得意先から周旋手数料をもらうとともに、奉公人に支払う給金から二割の口銭《こうせん》を取った。このふたつが儲《もう》けである。口銭を取る代りに、奉公先が潰《つぶ》れたりすると、給金を井筒屋が肩代わりした。これで奉公人は安心して勤められた。

奉公人の身許《みもと》は、口入屋が請負うのが定めだ。人柄と身寄りを見定める目利《めき》きは、商いの命綱である。また口入屋の手代は、周旋した者への目配りと同時に、得意先の内情にも通じていなければならない。うっかり見逃すと、ときに大きな焦付《こげつ》きを生じたりするからだ。

奉公人の給金は、ひとりにならすと六両、周旋手数料がひとり二分の見当だ。二千人の扱いだと、口銭が二千四百両で周旋手数料が千両。合わせて三千四百両が井筒屋一年の実入りである。

得意先回りの手代が二十五人、手代ひとりで八十人の世話をする勘定だ。手代は得意先を順に回り、不満がないかを聞き取る。それとともに奉公人とも会って、連中の言い分も聞いて回るのだ。

足を使う骨の折れる仕事だが、井筒屋のお仕着せと半纏を着ていると、世間の見る目が違った。手代の給金も他に比べればおよそ五割は高い。みずから辞める手代は皆無だった。

井筒屋は足軽や中間《ちゅうげん》、六尺《ろくしゃく》（力仕事の雑役夫）などの武家奉公人も扱った。井筒屋を通せば、武家の生まれでなくても武家奉公人になれると評判を呼び、多くの者が勤めを求めて寄ってきた。

武家との商いは町場相手の勘定とは別口である。さほど大きな儲けではないが、武家との商いを持っていれば商家が井筒屋を信用した。

この武家との商いを切り開き、育てたのが長兵衛である。それを認められて二十年前、三十四歳で手代総代に取り立てられ、五年後には三番番頭へと昇ることができた。

七年前、現当主重右衛門が長兵衛を頭取番頭に就けた。当時の頭取が病死したのもわけのひとつだが、得意先の内証を見抜く眼力が秀《ひい》でていたことが大きかった。

「信濃屋《しなのや》さんからのご注文には、今後一切応じなくていい」

八年前の正月、二番番頭になっていた長兵衛は、信濃屋掛りの手代にきっぱりと言い渡した。信濃屋は向島《むこうじま》の老舗料亭で、下男が六人、女中に八人を出している大得意先だった。

「どうしてですか。去年暮れの払いになんの間違いもありませんでしたし、奉公人たちも格別の不満は言っておりませんが」

手代の順吉が口を尖《とが》らせた。

「いいからあたしの言う通りにしなさい」

長兵衛は取り合わなかった。正月早々、長兵衛は酒屋の噂《うわさ》を耳にしていたからだ。商いの派手な料亭は、おもてから見ただけでは内証は分からない。

しかし酒屋は別である。

信濃屋に納める酒屋は、本所吾妻橋《ほんじょあづまばし》の枡屋《ますや》だった。長兵衛は枡屋番頭と碁敵の仲だ。

「去年の秋口から、信濃屋さんへの納めが半分にまで細くなってねえ……」

白石を手にした番頭がぼそりと漏らした。あるじにそれを伝えた長兵衛は、許しをもらって信濃屋を探らせた。案の定、商いが大きく減っていた。

長兵衛はその年の出替りで、すべての奉公人を引き上げた。得意先は激怒したが重右衛門が長兵衛を支えた。

「おまえたちは毎日奉公していながら、どうして順吉に店の内証を話さなかったのかね」

手代と奉公人を集めた場で、みなにきつい叱責《しっせき》を加えた。

「分かってはいましたが、ご奉公先のことをわるく言うのは憚《はばか》られましたから」

この出来事をきっかけにして、長兵衛は手代全員を厳しく戒めた。重右衛門が長兵衛を頭取番頭に取り立てた所以《ゆえん》である。

長兵衛が頭取に就いた日から今日まで、井筒屋はほとんど焦付きを生じてこなかった。口入屋の仲間内でも、長兵衛の舵取りは多くのひとが誉《ほ》めた。

評判が高まるに連れて、長兵衛は目下の者の声を聞かなくなった。陰で不満をいうものがいることを長兵衛も知っている。しかし舵取りに間違いはおかしていない。身代も大きくなり、ついには二千人の大台を超えた。

これが長兵衛の矜持《きょうじ》であった。

ところが身を退けと言い渡された……。

川端に立った長兵衛は、あるじにもらったキセルの煙草を吹き飛ばした。川面《かわも》に落ちると、ジュジュッと音を立てて煙草の火が消えた。井筒屋との縁切りを示すような音だった。

二

三月八日、朝五ツ（午前八時）。井筒屋の大広間に手代全員が集められた。いつもの年であれば出替りを終えたいまは、花見の趣向で盛りあがっている時季だ。

ところが今年は六日、七日の二日とも店には浮かれた気配がまるでなかった。

「なにか大きな騒動が起きそうだよ」

陰で噂《うわさ》を交していたところに、あるじの言い付けで広間に集められた。手代はだれもが顔を引き締めて座っていた。

五ツの鐘が鳴り終ったところで重右衛門が現れた。あとに長兵衛が従っているのはいつも通りだが、仙太郎と三番番頭の清四郎《きよしろう》もこの朝は一緒だった。

「みなさん、おはよう」

あるじのあいさつに、座の全員が口をそろえて返事をした。重右衛門は一座を見まわしたあと、長兵衛を右わきに招き寄せた。

「来る三月十五日をもって、あたしと頭取は隠居をすることに決めました」

前置きもなく重右衛門が言い渡すと、広間に低い呻《うめ》き声が生じた。あるじは鎮《しず》まるのを待ってから言葉をつなぎ始めた。

「今年の出替りでは武家奉公人の八十六人を加えて、二千人の大台を超えることができた。これだけの周旋が続けられれば、千束屋を追い越すのも遠いことではない。これが果せたのも、頭取の舵取《かじと》りが見事だったからだ。あらためて、頭取の働きに礼を言います」

重右衛門がわきを向いて、長兵衛に軽くあたまを下げた。仙太郎を含む残りのみなが、両手をついて辞儀をした。

長兵衛は固い顔のままで礼を受けた。重右衛門も表情を変えず一座の者に向き直った。

「みなも知っての通り、おととし御老中の田沼様は印旛沼《いんばぬま》の開拓をお決めになられた。以来、さほどの動きはなかったが、確かな筋の話では、どうやら今年七月から御上《おかみ》も本気で取り組まれるそうだ」

昨夜重右衛門が口にした、仙太郎の思案とはこのことだった。

宝永七年（七十一年前）に、幕府は人宿《ひとやど》の組合である番組人宿を十三組三百九十軒作らせた。これにより公儀は、たちのわるい奉公人や人宿の取締りを強めた。

いまの組合連頭取は千束屋当主だが、仙太郎も連の肝煎《きもいり》役につらなっている。印旛沼の話は、組合連頭取が肝煎六人だけに耳打ちしていた。

「印旛沼の工事には途方もないカネがかかるため、これまで二度も途中で取り止《や》めになっている。しかしこのたびの田沼様は、江戸と上方大坂の大尽《だいじん》連中に働きかけて、費えを出させるそうだ。商人が算盤《そろばん》ずくでカネを出すなら、巧《うま》く運ぶに違いない」

思いも寄らない話が次々に出て、広間は静まり返っていた。長兵衛は昨夜になって、初めて志の田で聞かされていた。

「印旛沼の仕事は少なくても十年は続くだろう。それに加えて去年九月に起きた吉原の大火事普請《ぶしん》も、まだ終ってはいない。このさき、人手は幾らあっても足りなくなるのは目に見えている」

重右衛門が言葉を区切ると、仙太郎があるじの左に進み出てきた。

「うちは間違いなく忙しくなる。なににも増して手当てが要るのは、人集めだ。いまでもうちの土間には、奉公先を求めてひとが群れているが、これぐらいでは到底足りない」

重右衛門が一同に向って目を剝《む》いた。手代たちの背筋がぴんと伸びた。

「これからは相模《さがみ》や信濃《しなの》にこちらから出向き、千束屋などに先駆けて椋鳥《むくどり》（出稼ぎ人）を捉《つか》まえることが肝要だ。そのためには、腕力が強くて足腰の達者な者が要る。いままでにはない、新しい知恵もいるだろう」

重右衛門が仙太郎の肩に手を置いた。

「あたしと頭取とが身を退《ひ》いて、あとを八代目に譲るのはこれゆえだ。頭取番頭には清四郎に就いてもらう」

仙太郎が八代目当主で頭取が清四郎だと聞かされて、座敷がふたたびざわめいた。八代目は四十一、清四郎はこの正月で不惑を迎えたばかりである。

重右衛門の咳払《せきばら》いでやっと座が静かになった。

「いまも言った通り、これからの井筒屋に要るのは、なによりも若さだ。それがしっかり得心できたからこそ、頭取もいさぎよく役目を譲られたのだ。これからさきの井筒屋を若いみなが守《も》り立てることが、頭取へのなによりの恩返しだと心得なさい」

重右衛門は何度も長兵衛の手柄を引合いに出し、頭取の働きを称《たた》えた。が、長兵衛はひとことも口を開かぬままの場で終った。

三

三月十日から帳場の様子が大きく変わった。

頭取番頭が座るのは、帳面が何冊も広げておける樫《かし》一枚板の机の前である。長さ六尺幅三尺で、厚味三寸の堂々とした拵《こしら》えだ。

深川万年町二丁目の指物《さしもの》名工禿座衛門《とくざえもん》が、およそ百年前に作った机は、高さ一尺の桜の脚が分厚い樫板を支えている。この机に向い、同じ禿座衛門作の座椅子《ざいす》によりかかれるのは頭取のみである。井筒屋当主といえども、座椅子と机を使うことはできない仕来《しきた》りだった。

その座椅子にいまは清四郎が座っていた。しかも頭取しか使えない机なのに、仙太郎も並んで帳面を見ている。いつ誂《あつら》えたのか、仙太郎には座椅子まで調えられていた。

机が穢《けが》されている……。

うしろに控えた長兵衛は、重たい心持でふたりの振舞を見ていた。

長兵衛が丁稚《でっち》小僧で井筒屋に入ったのは元文《げんぶん》四（一七三九）年、十二歳の春だ。以来、ひたすら奉公に励んだ。

「明日からはこれを着て、より一層商いに精を出しなさい」

延享《えんきょう》四（一七四七）年一月藪入《やぶい》りの朝。二十歳になっていた長兵衛は、すでに七代目重右衛門を襲名していたいまのあるじから、真新しいお仕着せと半纏《はんてん》をもらった。

こげ茶色の絹生地に細い格子縞《こうしじま》が染め抜かれた背中には、黄色の井筒紋が描かれている。お仕着せと一緒に手代には鼠色《ねずみいろ》、番頭には柿茶色《かきちゃいろ》の献上帯が与えられた。遠目にも目立つお仕着せを着ていると、深川では飲み屋でも飯屋でも幅が利《き》いた。

長兵衛は十年後の宝暦《ほうりゃく》七（一七五七）年に通い手代を許され、三十二の年に深川平野町豆腐屋の娘おせきと祝言《しゅうげん》を挙げた。

三十四で手代総代、三十九で三番番頭へと昇り、安永二（一七七三）年三月、四十六で二番番頭に取り立てられた。

長兵衛は手代となった二十歳の年から二十七年の間、毎日のように頭取の机を見てきた。

いつかあの机にあたしが向う……。

四十七で想《おも》いがかなった。

座椅子に座ってみて、長兵衛は二番番頭と頭取との格の違いを肌身に覚えた。

机の大きさは見栄《みえ》ではなかった。商いのすべての動きが、毎朝机に載っている。なにごとも長兵衛の決裁抜きには動かなかった。

あるじには日々の動きを伝えるだけで、商いのすべては頭取が仕切る。帳面に目を通し、番頭があげてくる約定書に井筒屋の印形《いんぎょう》を押す。勘定帳を受け持つ三番番頭は、五日ごとに日本橋本両替《ほんりょうがえ》とのカネの動きを差し出した。

長兵衛が頭取に就いた当時、周旋する奉公人の数は、武家と町場を合わせて千人をわずかに上回るほどのものだった。

長兵衛は毎月の旬日、手代を集めて商いの方向を指し示した。頭取に就いてからこの日まで、長兵衛が店を休んだのは毎年の元旦《がんたん》だけである。藪入りも店に出た。

病で寝込むことのないように、食べる物にはことのほか気遣ってきた。深酒も慎んだ。ただひとつ、好きなように吸う煙草《たばこ》だけが、おのれに許した贅沢《ぜいたく》であった。

傍目《はため》には窮屈そうに見えたかも知れないが、長兵衛はいささかも苦に感じなかった。

おのれを厳しく律することができたわけは、樫の机である。机に向い、座椅子に寄りかかると力が身体《からだ》の内に漲《みなぎ》った。机は毎朝自分の手で、それも絹布《けんぷ》で磨いた。勘定帳が樫板に映るまで磨き上げてからが仕事始めである。それを七年の間、元旦のほかは毎朝繰り返してきた。

わずか七年で机を追われようなどとは、思ってもみなかった。

この正月で五十四になったが、頭取番頭として老いているわけではない。千束屋の頭取はすでに六十に手が届く歳《とし》だが、寄合では達者に場を仕切っている。

頭取としての落ち度を咎《とが》められての仕置であれば、長兵衛にも得心がいった。しかし商いはうまく運んでおり、今年の出替りでは二千人の大台を超えるまでに大きくしたのだ。

なぜあたしまでもが……。

あるじも隠居するからと言われても、道連れで身を退《ひ》かされるのは納得できなかった。

しかし井筒屋の歯車は、すでに長兵衛を外して回り始めていた。三月十五日までの長兵衛の役目は、年若い清四郎の後見役である。机からは追われて、だ。

朝の寄合のあと、長兵衛はあるじの居室に招き入れられた。普段から笑うことの少ない重右衛門だが、このときはことさら厳しい顔つきだった。

「いまから話す後見役の心得を、しっかりとわきまえておいてくれ」

なぜか口調も厳しい。長兵衛は返事の代わりにあるじを見詰めた。

「ふたりから問われない限り、口を挟むのは無用にしてもらいたい」

「商い向きのことに、でございますか」

「ふたりがやろうとすることすべてにだ。おまえの目には頼りなく映るかも知れないが、仙太郎も清四郎も命懸けだ」

「お言葉に逆らうようですが、清四郎にすぐさま舵取《かじと》りができましょうか」

「おまえがわきから口を挟みさえしなければ、早晩できるようになる」

重右衛門はにべもなかった。

極《き》めつけるようなあるじの言葉に、長兵衛は返事をしなかった。言い方が強過ぎたと思ったのか、重右衛門はわずかに表情を和らげると、違い棚から手文庫を取り出した。

「おまえは骨身を惜しまずに尽くしてくれた。これで充分とは思わないが、このさきの費えに充《あ》ててくれ」

本両替大坂屋が封印した二十五両包みが四個、長兵衛の膝元《ひざもと》に置かれた。

「暮れには娘さんの祝言も控えているだろう。これはあたしからの祝儀だ、あわせて納めてもらいたい」

半紙に包んだカネが差し出された。

祝い金が幾ら包まれているのか、見た目には分からなかった。しかし隠居金としての百両は大金である。倹《つま》しく遣うなら、らくに十年は暮せるカネだ。

井筒屋が長兵衛の働きを汲《く》み取った証《あかし》ともいえる百両だ。しかしカネを見た長兵衛は、さらに気持ちがざらついた。

なにもいま出すことはないだろうに。

十五日までは後見役を務めてくれといいながら、いま隠居金を出すのは、すぐにも身を退けといっているように感じられた。

この場での暇乞《いとまご》いが、喉元《のどもと》まで出かかった。が、長兵衛は口に出すのを思いとどまった。出し抜けに辞めたりしては、世間は長兵衛が暇を出されたと勘違いしかねない。

残る五日の間に先行きの算段をしよう。

隠居金と祝い金を納めた長兵衛は、深々と辞儀をしてから帳場へと向った。

「相州の人集めには、佐吉を差し向けようと思いますが……」

「あれの在所は藤沢遊行寺《ゆぎようじ》だったな」

「左様でございます」

仙太郎と清四郎が交す話を、長兵衛は焦《じ》れながら聞いていた。

なんだ清四郎、その物言いは。

人遣いのことを、一々あるじに相談するんじゃない。

頭取なら、もっときっぱりと言い切れ。

胸の内で歯嚙《はが》みしながらも、懸命に口を挟まぬように踏ん張った。その片方で、こんなことがあと五日も続くかと思うと、胃の腑《ふ》から苦いものが込み上げてきそうだった。

四

三月十五日の朝も長兵衛は、いつも通り六ツ（午前六時）の鐘を聞きながら口を漱《すす》いだ。この日限りで、十二歳の春から続けてきた井筒屋奉公が終る。

仕事ひとすじで、とりわけ頭取に就いてからの七年は勤めが生き甲斐《がい》だった長兵衛には、文字通り首を斬《き》られる日の朝だった。

しかし陽はいつものように昇った。

庭のいっぽん桜も昨日と変わっていない。

あたしが首を刎《は》ねられても、いきなり嵐《あらし》が来るわけでもなし、か。

心持を汲《く》み取ってもくれない穏やかな朝に、長兵衛は胸の内で愚痴をこぼした。

居間に戻るとお仕着せに袖《そで》を通した。昨晩おせきに言いつけて鏝《こて》をあてさせた帯を、キュッキュッと音を立てて締めた。

足元には真新しい足袋がある。これは長兵衛が自分で箪笥《たんす》から取り出した。帯に鏝をあてたうえに足袋までおろすと、おせきに余計な勘繰りをされそうに思えたからだ。

女房と娘には、十五日をしっかり勤め終えた夜に話すと長兵衛は決めていた。

身支度を終えてから膳《ぜん》につくのも、いつも通りである。違っていたのは、娘のおまきの箱膳も出ていたことだ。

「おはようございます」

長兵衛を見たおまきの声が明るい。

「なんだおまえ、こんな早くに」

「五ツ（午前八時）過ぎに、彦太郎さんが八幡様《はちまんさま》までくるの」

彦太郎とは、おまきの許婚《いいなずけ》である。暮れの祝言《しゅうげん》を決めて以来、ふたりは高橋か富岡のどちらかで逢瀬《おうせ》を楽しんでいた。

「朝の五ツにかね」

「佐賀町の蔵に出向いた帰り道に立ち寄るんですって」

「そんなことをいつ話し合ったんだ」

「このまえ高橋で会ったときだけど……」

父親の機嫌がわるくて、おまきの語尾が小声になった。

「おまちどおさま」

味噌汁《みそしる》の鍋《なべ》を手にしたおせきが、重たい気配を吹き飛ばした。膳には糠漬《ぬかづけ》に焼き海苔《のり》が載っている。おまきが飯櫃《めしびつ》のふたを除《の》けると、炊《た》き立て飯の香りが漂い出た。

三人が朝の膳に揃《そろ》うのは余りないことだ。この日の先行きを思って憮然《ぶぜん》としていた長兵衛だが、娘に飯をよそわれると顔つきを幾らか和らげた。

「おい……」

味噌汁を口にした長兵衛がおせきを見た。

「どうしたというんだ」

「なにがどうしたんですか」

「卵が入ってる」

「それがなにか？」

「朝から豪勢じゃないか」

「そんな……あなたの稼ぎですから、卵ぐらい、お好きならこれから毎朝入れますよ」

おせきが軽く言った言葉で、長兵衛は箸《はし》を止めそうになった。が、すぐに気を取り直してそのまま食べ続けて朝餉《あさげ》を終えた。

冬木町を出て井筒屋までの道々、長兵衛は気の重さを引きずった。

明日からどうする。

それより、今夜は女房と娘にどう切り出せばいいんだ。

途中の富岡八幡宮で賽銭《さいせん》を投げ入れたときも、おせきが口にした「あなたの稼ぎ云々《うんぬん》」が、あたまのなかを走り回っていた。

それでも仲町の辻《つじ》が見え始めると、長兵衛は背筋を張って歩みを確かなものに戻した。

だれが見ているか分からないのだ。井筒屋のお仕着せを着て、柿茶《かきちゃ》の帯を締めている限りは見栄《みえ》がある。奉公人にも、勤め仕舞いの日に妙な姿を見られたくなかった。

辻を右手に折れると、井筒屋の前に奉公人が群がっていた。なにごとかと案じて、足が速くなった。

長兵衛を目にすると、奉公人が素早く列をなした。先頭は仙太郎で、番頭に手代、小僧まで、ひとりも欠けずに並んでいる。

「頭取、おはようございます」

仙太郎のあいさつにみなの声が続き、膝《ひざ》にあたまが付くほどの辞儀をした。

「おはようございます」

長兵衛もあいさつを返した。身を退《ひ》く頭取番頭への礼儀を、長兵衛は身体《からだ》で受け止めた。

嬉《うれ》しくもあり、また哀《かな》しくもあるあいさつだった。

仕舞いの日が八ツ（午後二時）を過ぎたところで、長兵衛は奥に呼ばれた。あるじの居室に入ると、重右衛門は羽織を着ていた。

「おまえが勤めてくれた四十二年は、およそひとの寿命に肩を並べる長さだ。ほんとうにご苦労さまでした」

重右衛門があたまを下げた。長兵衛はひといきおいて、あるじの仕種《しぐさ》を止めた。あたまを戻したあとは、重右衛門は口を開かなかった。長兵衛もその方がありがたかった。いまはどんなねぎらいの言葉も、素直には受け止められないのだ。聞かされれば聞かされるほどに、こころの奥が白けてしまう。

重右衛門もそれをわきまえているのか、互いに黙したままでときが流れた。座敷には、ふたりが茶をすする音だけが立っていた。

ゆっくりと茶を飲み干したところで、重右衛門が居住まいを正した。長兵衛も湯呑《ゆの》みを膝元に戻した。

「これは仙太郎の言い出したことだが……」

重右衛門が真正面に長兵衛を捉《とら》えて口を開いた。物事に区切りをつけるときのくせである。長い付合いで知り抜いている長兵衛が、膝に置いた手に力を込めた。

「今夜の六ツ半（午後七時）から、おまえを送り出す内輪だけの宴《うたげ》を催したいそうだ。もとよりわたしに異存があるはずもない。ぜひにも受けてもらいたい」

長い井筒屋奉公のなかで、辞めた番頭は幾人もいた。しかしねぎらいの宴など、長兵衛には覚えがなかった。

「どうだろう長兵衛、仙太郎たちの心持ちを汲んでやってくれないか」

「お心遣いにお礼の言葉もございません」

長兵衛は深々とあたまを下げた。

「聞き入れてもらえてなによりだ」

重右衛門が手を打った。すかさず奥付きの女中が顔を出した。

「茶をあれに差し替えてくれ」

言い付けられた女中はほとんど間を置かず、宇治にいれ直してきた。茶の贅沢《ぜいたく》は、重右衛門の道楽のひとつである。新茶はまだだが、日本橋山本からは十日ごとに密封された宇治が届けられてくる。居室でこれを出すのは、重右衛門最上のもてなしだった。

「じつはもうひとつ頼みがある」

茶をひと口だけすすって、重右衛門が湯呑みを置いた。

「今夜の宴には、おまえの連れ合いと娘さんにも、ぜひ同席してもらいたいんだが」

「それはまた途方もないことを……」

「いまさらおまえに追従《ついしょう》をいうつもりはないが、おまえの働き抜きでは井筒屋はここまでこられなかった」

「……」

「それを支えてくれたおまえの連れ合いは、まぎれもなくうちの恩人だ。仙太郎も、おせきさんにはしっかりと礼を伝えたいそうだ」

女房と娘にまだなにも話していない長兵衛は、返事をためらって目を逸《そ》らした。その所作で重右衛門は見抜いたようだった。

「仙太郎はあれなりに、おせきさんと娘さんにも礼を尽すはずだ。出てもらうことで、おまえもきちんと区切りがつけられるだろう」

今日を限りに辞めるとはいえ、まだ長兵衛は井筒屋の奉公人である。あるじの頼みには逆らえない。

重右衛門の物言いは、頼むと言いつつも、指図のほかのなにものでもなかった。

五

七ツ(午後四時)に長兵衛は井筒屋を出た。冬木町の宿に戻り、女房と娘を連れて夜の宴に出直すためにである。

酒席の支度で、手代たちはこの日の外回りを七ツ半(午後五時)には切り上げると聞かされた。小僧たちは長兵衛が店を出た七ツには、広間の片付けと台所の手伝いを始めていた。

抜かりのない段取りで宴を催そうとして、井筒屋が忙しく動いている。奉公人のだれもが、精一杯の気遣いでこの夜に備えていることは、長兵衛にも伝わっていた。

ありがたいと思いつつも、奉公人たちがよってたかって首斬《くびき》りに手を貸している……この拗《す》ねた思いが長兵衛から消えなかった。

まだ明るいうちに、冬木町に戻るのは初めてである。長兵衛は通りで行き交うひとの目が気になった。見知らぬだれもが「あいつは暇を出された男だ」と、陰口をきいているように思えたのだ。

益体《やくたい》もないことを……。

おのれに舌打ちした長兵衛のあたまに、幾ひらもの花びらが舞い落ちた。

井筒屋の勤めが今日限りだと決まって以来、女房と娘に話すのを一日延ばしにしてきた。そして今日、ついにその当日を迎えた。

もう隠してはおけないが、聞かせるのは夜だと決めていた。行灯《あんどん》の薄明りのなかでなら、思い切って話せる気がしたからだ。

ところが家族も酒宴に連れて出るには、明るいなかで話さざるを得ない。井筒屋の心遣いは、ありがた迷惑の極みだった。思案顔で冬木町に戻る長兵衛だったが、八幡宮の境内に入ったところには肚《はら》が決まっていた。

本殿前であたまを下げたあと、宿へ向う歩みを速めた。玄関の格子戸《こうしど》を開ける手にも、いつも通りの力がこもっていた。

「ただいま帰ったよ」

長兵衛の声を耳にして、たすき掛けのおせきが二階から降りてきた。

「ずいぶんお早いけど、どうしたんですか」

「……」

答えないで土間に突っ立っていると、二階から娘の笑い声がこぼれてきた。男の声もする。長兵衛の目が険しくなった。

「おまきの部屋の片付けを、彦太郎さんが手伝ってくれているんです」

「なんだ、片付けとは……あいつはもう嫁に出る気でいるのか」

「そうじゃありませんよ。とにかく上がってくださいな」

おせきはそれ以上は取り合わず、二階に駆け上がった。

あたしが留守の間に、まだ祝言《しゅうげん》もあげていない男を家に上げているのか……。

朝からの嫌な心持に駄目押しをされた気になった長兵衛は、憮然《ぶぜん》として居間に入った。さほど間を措《お》かず、三人が居間に顔を出した。

「あたしはこれで失礼させていただきます」

彦太郎の軽いあいさつに、長兵衛は返事もしなかった。玄関先で送り出した女房と娘が居間に戻ってきたとき、長兵衛は立て続けに煙草《たばこ》を吹かしていた。

「なんだ、あの男の振舞いは」

「おとうさん、長いお勤めご苦労様でした」

長兵衛が言いかけた文句に、娘の言葉が覆《おお》いかぶさった。おせきとおまきが、畳に両手をついている。キセルを手にした長兵衛がうろたえた。

「こう早くお帰りとは思わなかったものですから、支度がまだ途中ですけど……ほんとうに長い間、ご苦労様でした」

顔を上げたおせきに笑いかけられて、長兵衛がキセルを煙草盆のわきに置いた。

「おまえたちは知っていたのか」

女房と娘が笑顔でうなずいた。

「そうか……」

大きな息を吐き出した長兵衛は、膝元《ひざもと》のキセルに目を落した。

「宇佐美屋さんが教えてくれたんですよ」

宇佐美屋とは、このたびの縁談を仲立した佐賀町の車屋である。

「宇佐美屋さんは、大層あなたのことを誉《ほ》めてましたよ」

「誉めるって、なにを誉めるんだ」

「井筒屋の若旦那《わかだんな》さんがやりやすいように、あなたがいさぎよく身を退《ひ》いたって……真似《まね》のできないことだと、何度も何度も言ってました」

「いつそれを聞いたんだ」

「三、四日前だったと思いますけど」

おせきとおまきが互いにうなずきあった。

「彦太郎さんに手伝ってもらったのは、おとうさんの部屋を作るためだったのよ」

おまきはまだ笑顔のままだった。

「これからおとうさんは家にいることが多くなるでしょう……だから日当たりのいいあたしの部屋をおとうさんにって、おかあさんと決めたの」

おまきの部屋からは、庭のいっぽん桜がよく見える。

「女手だけではとっても無理だから、彦太郎さんに手伝ってもらったのよ。とりあえず片付いたから、おとうさん、見る？」

長兵衛は返事をせずにキセルを手にした。女房と娘が父親を見詰めていた。


井筒屋大広間の上座に金屏風《きんびょうぶ》が立てられており、その前に長兵衛一家三人が座っている。ねぎらいの宴は、長兵衛の正面ににじり出た仙太郎の口上で始まった。

重右衛門はすでに末席に退いていた。宴が始まると、清四郎を筆頭にして番頭や手代たちが代る代る徳利を手にして寄ってきた。

酌を終えると、おせきとおまきにも両手をついてあたまを下げた。場慣れしていないふたりの返礼はぎこちなかったが、長兵衛は口を挟まず流れにまかせていた。

上座三人には五ノ膳《ぜん》まで調えられている。長兵衛の膳に載った鯛《たい》の塩焼きは、皿から食《は》み出して身を反らせていた。

井筒屋はこの宴のために、仲町の江戸屋から料理番を入れていた。座敷の方々には百目蠟燭《ひゃくめろうそく》が灯《とも》された燭台《しょくだい》が立てられている。料理人が盛り付けた煮物や酢の物、御作りなどが百目の明りに映えていた。

「あなたのために、お店《たな》も大した趣向を調えてくれましたねえ」

座を見回したおせきが、感に堪えないという口調で長兵衛に話しかけた。亭主を見るおせきの目の奥が、晴れがましさに輝いていた。

口には出さなかったが、長兵衛も宴席の豪勢さには深く打たれていた。

身を退けといわれてから今日まで、腹の底から喜んだり、ものに感じ入ったりすることがないままできた。気持ちにゆとりがなかったからだ。重右衛門に言葉を尽くして誉められても、それは長兵衛の引退を揉《も》めずに運びたいがゆえの方便だと、素直には聞けなかった。

この夜の宴についても同様の思いを抱いていた。

井筒屋ぐるみで催す、見え透いた追従《ついしょう》の座に、なぜ妻と娘を同席させねばならないのだと、思うところを隠し持って宴に臨んだ。

今夜の井筒屋は、商い向きの用をすべて取りやめて、ただ長兵衛ひとりのためだけに動いているようだ。そのことを、おせきは肌身で感じ取った。感じ取ったがゆえに、長兵衛を誇らしげな目で見たのだ。

長兵衛は井筒屋を見直した。

宴の半ばを過ぎた辺りで、重右衛門が三人の前に出てきた。

「どうかそのままで……」

座布団《ざぶとん》を下りようとした長兵衛たちを、重右衛門が止めた。長兵衛に一礼してから、重右衛門はおせきの前に身体《からだ》を移した。

「このたびはうちの身勝手で、長兵衛にも早い隠居をしてもらうことになりました」

「そんな……旦那様にそんなことを言ってもらえる長兵衛は果報者です」

「そう呑《の》み込んでいただければ……」

重右衛門の言葉に、仲町火の見やぐらの半鐘が重なった。鐘は短く乱打される擂半《すりばん》である。火元が近いことで座敷が騒然となった。

「だれか火の見に出なさい」

仙太郎が大声で指図した。手代が立ち上がったとき、座敷に小僧が飛び込んできた。

「本所竪川《たてかわ》の辺りから、大きな火の手があがっているそうです」

小僧の見当を聞いて、清四郎がすぐに動いた。帳場から駆け戻ってきたときには、分厚い得意先帳を手にしていた。

「竪川の両岸には、十二軒のお得意先が集まっています」

「よし」

短く答えた仙太郎は、すぐさま手代を呼び集めた。

「刺子《さしこ》を着て、あたしに付いてくるんだ。清四郎とこども衆《し》は店に残れ」

座敷の全員が仙太郎の指図にうなずいた。

「料理番は帰して、賄《まかな》いのものに炊《た》き出しを言いつけてくれ」

「分かりました」

清四郎の顔が引き締っている。酔いはすでに吹き飛んでいた。

指図を終えた仙太郎が長兵衛の元にきた。

「大事な宴ですが、火急のことですのでここでお開きにさせてください」

「もちろんです、あたしに構わず竪川に」

「それでは」

仙太郎が大広間を出たときには、すでにだれもが座敷を出ていた。

重右衛門もいない。

金屏風の前に、長兵衛たちが取り残された。

やはり井筒屋は商いが第一……。

分かりきったことだった。

自分が頭取の身で宴を差配《さはい》していても、同じ振舞いに及んだに違いないと思う。ゆえに、火事見舞のために、宴席がいきなりお開きになったことに不満はなかった。

ことが生じたときに、井筒屋の輪の外で見ているしかないことがやるせなかった。

「おいとましようか」

「そうですね」

五ノ膳に載っていた折詰を手にした三人は、百目ひとつだけの明かりになった座敷を出た。井筒屋の土間は、火事見舞支度の手代でごった返していた。

長兵衛は邪魔にならないよう、あいさつもせずにおもてに出た。

北の空が真っ赤に染まっていた。本所に続く広い通りを、火消しと野次馬が駆けている。長兵衛はひとの動きを気遣いながら、仲町の辻《つじ》で立ち止まった。ほどなく井筒屋から、刺子《さしこ》半纏《ばんてん》をまとった手代の群れが通りに出てきた。一列に並ぶと、仙太郎の掛け声で本所に向けて駆け始めた。

いままでの火事見舞は、すべて長兵衛が差配してきた。火の手が収まるまで、井筒屋を離れず奉公人を動かした。

いまは辻の暗がりから見ているだけである。思いを察したのか、おせきとおまきは長兵衛のうしろに離れて立っていた。

火の見やぐらでは、相変わらず擂半が鳴っている。北の空を見ながら、長兵衛が大きな溜《た》め息《いき》を吐き出した。

六

井筒屋を辞めて七日目の、三月二十二日四ツ（午前十時）過ぎ。冬木町長兵衛の宿を、手代身なりの男がおとずれた。

応対には娘のおまきが出た。

「手前は日本橋芳町の千束屋から参りました、手代の金四郎と申します。長兵衛様はご在宅でございましょうか」

「千束屋さんとおっしゃいましたか？」

「さようでございます」

屋号の意味するところは、おまきも充分に知っていた。手代を玄関先に待たせたまま、階段を駆け上った。

「はしたない振舞いをするんじゃない」

部屋に飛び込んできた娘を、長兵衛は強い口調でたしなめた。

「お客様です」

娘は詫《わ》びもいわずに来客を伝えた。

「お前はお客さんのまえで、階段を駆け上ったりしたのか」

「千束屋さんがお見えです」

「なんだと」

叱《しか》りが宙に浮いた。

頭取番頭を務めていたころの長兵衛は、少々のことでは顔色を変えない修練を積んでいた。が、千束屋という屋号は、そんな長兵衛の目を見開かせた。

「客間にお通ししておきなさい」

ひとつ大きな息を吐き出したあとでも、すぐには立ち上がろうとはしなかった。

千束屋の用向きがなにであるかが知りたくて、気持ちは逸《はや》り立っている。おまきがあれほど慌《あわ》てて駆け上ってきたのも、自分と同じ気持ちゆえだと長兵衛は察した。

だからこそ、すぐには動きたくなかった。

職を辞して、まだ七日目である。しかしいまの長兵衛は寝間着のままだった。

勤めのころは明け六ツ（午前六時）には着替えを始めていたのに、いまは起床が五ツ（午前八時）である。昨日は起きてから一歩も外出《そとで》をしなかったために、終日、木綿の寝間着に袖《そで》なしの薄い綿入れ姿で通してしまった。

初めて五ツまで寝過ごした朝、長兵衛は不覚を取ったと感じて気持ちが落ち込んだ。ところが身体《からだ》はそれを受け入れたのだ。職を退《ひ》くと、たちどころに気も身体もなまけ始める……あたまでは、それではだめだとおのれを咎《とが》めたりもする。しかし、あっけなくそれを許すのも、またおのれだった。

来客もこの日まで皆無だった。

退職直後の二日間は、ことによると井筒屋から呼び出しがくるかもしれないと身構えていた。本所の火事の直後でもあったし、手伝いに駆り出されることもありそうに思えたからだ。

おせきにも娘にもそれを言い置いた。外出も控えて二階の自室で待った。

しかしひとはだれもたずねてこなかった。

退職後二日目の夜は、やり場のない苛立《いらだ》ちが収まらず、真夜中を過ぎても寝つけなかった。ために、朝は五ツまで寝過ごした。ひとたび夜更《よふ》かしと朝寝を覚えると、身体が勝手に順応を始めた。昨日も今日も目覚めは五ツである。

今日一日を、どうやり過ごすか……。

葉がびっしりと茂っている桜の古木を見ながら、長兵衛はきつい思案をしていた。

気持ちの底がざらざらしながら、である。

そこへ娘が、音を立てて階段を上ってきた。きつい声で叱りつけたのは、多分にうっぷん晴らしもあった。

ところが娘は、思いも寄らない客の来訪を告げにきた。

中身は分からないが、小僧ではなく、わざわざ手代を寄越した言伝《ことづて》は、わるい話ではないと長兵衛は判じた。

着替える顔が、ついゆるんでしまう。

それでも階段をおりるときには、頭取番頭であったことを思い返し、唇をぎゅっと嚙《か》み締めていた。

金四郎は膝《ひざ》も崩さず、おまきが出した茶に口もつけずに待っていた。

客間というよりは、家族の居間である。床の間もなかった。それでも二月に表替えをしたことで、畳はまだ青々としていた。陽気がよく、障子戸が一枚開かれている。四ツを過ぎていることで、いっぽん桜に日があたっていた。

「お待たせをいたしました」

長兵衛の物言いはていねいだった。

「てまえこそ、長兵衛様のご都合もうかがわずに押しかけて参りまして……これはてまえどものあるじからの、言付《ことづ》かりものでございます。なにとぞお納めくださりますよう」

金四郎が風呂敷《ふろしき》のまま手土産を差し出した。包みの柄は、何十年も見てきた日本橋の茶舗、山本の渦巻き模様である。風呂敷が、言伝は吉報であるとささやきかけているようだった。

「遠慮なくいただきます」

風呂敷包みが長兵衛の膝元に移された。

「それで、わざわざ足をお運びいただきましたご用向きは？」

問われた金四郎は、膝を崩してもいないのに座り直した。

「長兵衛様には明日、あさってのどちらかで、夜の一刻ほど、てまえどもの番頭とお会い願えるお手すきはございましょうか」

「番頭さんと、ですか」

「さようでございます。二番番頭の、光之助《みつのすけ》でございますのですが」

光之助とは寄合で何度も同席したことがあり、長兵衛もよく知っていた。歳《とし》は長兵衛より二歳年下だが、押し出しの強さでは長兵衛に勝《まさ》っていた。来年還暦の千束屋頭取番頭を支えているのが光之助だといわれており、限りなく頭取の座に近い男でもあった。

「光之助さんの都合は、どちらの日がよろしいのかな」

「長兵衛様次第でどちらでも、と申しつかっております」

「少しお待ちください。いま先の約束がなかったかどうか、確かめますから」

長兵衛が中座しようとして立ち上がった。

「お手間をおかけいたします」

金四郎が深々と手をついた。

客間を出た長兵衛は、二階の自室に戻った。窓際《まどぎわ》の文机《ふづくえ》には、一冊の日記が載っている。日々の心覚えを簡潔に記す綴《つづ》りだった。

井筒屋を退いてからの記述は、さして書くこともなく、どの日もわずか数行である。今日から先の約束など、あろうはずもない。

手にするまでもなく、それは分かっていた。

分かっていながらも金四郎を待たせ、日記を取りに二階に上がったのは、長兵衛の見栄《みえ》である。そんなことはおくびにも出さず、綴りを手にして階段をおりた。

客間とは反対の廊下の奥に、娘が立っていた。父親の姿を見ておまきが微笑《ほほえ》みかけた。長兵衛は咳払《せきばら》いを廊下に残して客間に戻った。

娘が茶をいれかえていた。

「あいにく明日の夜は先約があります」

金四郎に見えないようにして、白紙の綴りをめくった。

「あさってでよろしければ、七ツ（午後四時）のあとなら障《さわ》りはありません。千束屋さんはそれでよろしいか」

「結構でございますとも」

金四郎は提げてきた吾妻袋《あずまぶくろ》から矢立《やたて》と帳面を取り出し、長兵衛が口にしたことを書きとめた。

「どちらにうかがえばよろしいかな」

金四郎のへりくだった物腰につられて、長兵衛の物言いが変わっていた。

「それでは二十四日の七ツに、こちら様まで宿駕籠《やどかご》を差し向けます。両国橋西詰めの折り鶴《づる》までご足労願うことになりますが、よろしゅうございますか」

「結構です」

「重ね重ね、ありがとう存じます。それでは早速戻りまして、番頭に伝えますので」

金四郎は茶に口もつけずに戻って行った。

玄関先で客を送り出したおまきが、軽い足取りで客間に入ってきた。

「おとうさん、すごいじゃない」

「なんだ、その口の利《き》き方は」

長兵衛がわざとむずかしい顔を拵《こしら》えた。娘はまるで気にとめず、父親のそばに座った。

「千束屋さんのご用はなんだったの？」

「なんでしたの、だろうが」

「ごめんなさい。ご用はなんでしたの」

答える前に、長兵衛はまたカラの咳払いをした。

「あちらの番頭さんが会いたいそうだ」

「やっぱりね」

おまきがひとりで得心してうなずいた。

「それで、いつ、どこで？」

「あさっての夜、両国橋の折り鶴という料亭に招かれた」

「へえ……」

「宿駕籠を差し向けるそうだ」

長兵衛の背筋が張っていた。

「おとうさん……」

「なんだ」

「お天気もいいから、久しぶりに庭で花見をしましょうよ」

おまきが開かれた障子の先の古木に目をやった。さらに日が昇っており、日差しが葉から幹へと移っている。

日を浴びた木は心地よさそうに見えたが、もとより今年は花がない。

「いきなりどうしたんだ」

「今日はとっても陽気がいいじゃない。お昼を庭でいただきましょうよ。おかあさんにも言ってきますから」

返事もきかずに立ち上がったおまきは、廊下に出ようとして、すぐに戻ってきた。

「おかあさんに見せてもいいでしょう」

おまきは金四郎の手土産を手に取った。老舗《しにせ》の包みは娘も知っていた。

「こんなお茶をいただけるなんて、おとうさんはやっぱりえらいのね」

客間を出てゆく娘の後姿を、長兵衛は渋い顔で見ていた。

その顔はすぐに崩れた。

七

宿駕籠《やどかご》は足取りを加減して、七ツ半（午後五時）の刻限通りに折り鶴の玄関に着けた。三月下旬の七ツ半は、まだ日は落ちていない。打ち水をされた敷石が、夕暮れのなかで、口開けの瑞々《みずみず》しさを描き出していた。

玄関先の盛り塩も真っ白で威勢がいい。長兵衛は塩の白さを見て、話し合いが上首尾に運びそうな予感を抱いた。

「ようこそお越しくださいました」

案内された座敷では、光之助ともうひとりの連れが床の間の座をあけて待っていた。

「こんな高い座に……」

「なにをおっしゃる。そちらが長兵衛さんの座です」

型通りのやり取りのあと、長兵衛が床の間を背にして座った。

間をおかずに酒肴《しゅこう》が運ばれてきた。

仲居が運んできた盆には、黒の信楽《しがらき》大鉢が載っていた。鉢には千切りにされた独活《うど》が盛られている。仲居が緑のふちを残した竹箸《たけばし》で、同じ焼き物の小鉢に取り分けた。独活は緑色の青寄せを下に敷いていた。からしの葉をあたり鉢ですりつぶし、二杯酢で和《あ》えたものである。

鉢の黒、独活の白に青寄せの緑。小鉢が色味を競っていた。

「春の雪でございます」

折り鶴自慢の見立て小鉢である。

頭取番頭のころは、接待を受けたし得意先を招きもした。が、両国の料亭は使ったことがなかった。

のっけから長兵衛は、千束屋のもてなしに気おされ気味になった。職を辞した身であることも、床の間を背にしていることも、さらに座り心地の落ち着かなさを煽《あお》っている。

「今宵は楽にやりましょう」

長兵衛の胸のうちを見抜いたのか、光之助がくだけた口調で徳利を差し出した。徳利も盃《さかずき》も伊万里《いまり》である。

脇息《きょうそく》は漆仕上げで、座布団《ざぶとん》は長兵衛が自室で使っているものの優に二枚分の厚みがていた。ある。しかもそのどれにも、折り鶴の紋ではなく、千束屋の家紋がさりげなく描かれていた。

千束屋は、自前の什器《じゅうき》を折り鶴に使わせていたのだ。

井筒屋頭取のころは、千束屋なにするものぞと意気込んでいた。肩を並べたとまで思ったこともあるし、口にも出した。周旋した数においては、互角に近かったがゆえである。

しかし接待を受けて、いかに相手の格が勝《まさ》っていたかを思い知った。

百両の隠居金を井筒屋から受け取りながら、千束屋の招きに応じたことも、いまは長兵衛の気分を重たくしていた。

ねぎらいの言葉を山ほどかけてもらえたが、有体《ありてい》にいえば長兵衛は井筒屋から暇を出されたのだ。そのことは、だれよりもおのれが分かっていた。

なぜ身を退《ひ》かされたのか。

そのことに気持ちの折り合いがつけられなくて悶々《もんもん》としていたとき、千束屋の使者がたずねてきた。商売敵から声をかけられたことで、長兵衛は胸のうちの鬱憤《うっぷん》が晴れたような気がした。話の中身は定かではなかったが、相手が料亭に一席構えるというのは、世間話をしたくてであるわけがない。

様々な思いを抱えて招きを受けた。

千束屋の大きさを見せつけられたいま、長兵衛は招きを受けたことを悔いた。千束屋入りを誘われても断わろう。

そう気持ちを定めたら、幾ら盃を重ねても気分はほぐれなかった。

料理が出される都度に、なにであるかを仲居がときあかす。器は料理ごとに窯《かま》が違っており、しかも千束屋の家紋入りだ。

光之助は料理が出され終わるまでは、なにひとつ仕事向きの話を切り出さない気でいるらしい。

この座のすべてにうっとうしさを感じ始めた長兵衛の、箸の動きがにぶくなった。

「腹の加減は、もうよろしいか」

「充分にいただきました」

長兵衛の言葉を受けて、光之助が仲居に目配せをした。新しい徳利三本を出したあと、襖《ふすま》を閉じて仲居が下がった。

「いきなり長兵衛さんが身を退くと知らされて、千束屋は大騒動になりましたよ」

おもねるような口調の光之助が、まだ徳利を差し出してくる。長兵衛は盃を手のひらでふさいで断わった。光之助も無理《むり》強《じ》いはせず、徳利を膳《ぜん》に置いた。

「このたび頭取に就かれた清四郎さんは、長兵衛さんよりひと回り以上も年下だとうかがいましたが」

「その通りです」

「井筒屋さんは、新しいご当主もまだ四十そこそこだというし、ずいぶんと思い切ったことをなさるもんですなあ。井筒屋さんには、なにかお考えがあってのことですか」

「格別なことはないと思います」

長兵衛は、当たり障《さわ》りのない答え方にとどめた。それを聞いて、光之助は上体を長兵衛のほうに乗り出した。

「ひと集めに精を出しているようですが」

「印旛《いんば》沼《ぬま》への仕出しは、井筒屋さんはどれほどの数をまかなえるんでしょうかな」

「椋鳥《むくどり》を捕まえに出るのは手代さんですか」

矢継ぎ早に井筒屋の内情をたずね始めた。それも遠慮をかなぐり捨てての、あけすけな問い方である。

長兵衛は、なにひとつ定かな答えは口にしなかった。光之助も、長兵衛の出方は織り込み済みだったらしく、まともに答えなくても気をわるくした様子は見せなかった。

同席している男を、光之助は顔つなぎさえしなかった。男はひとことも口を挟まず、長兵衛の顔の動きを見詰めるだけである。

招かれた者の礼儀として、長兵衛はおのれから話を打ち切ることはしなかった。

光之助は相手から答えを求めるでもなく、言いたいことを言うだけ言ったところで、会食をお開きにしたいと告げた。

長兵衛には、なんとも後味のわるい終わり方だった。

「お帰りも宿駕籠をお使いください」

「月星がありますから、酔いざましを兼ねて歩いて帰ります」

長兵衛が断わると、光之助はあっさりと申し出を引っ込めた。


両国橋を東に渡った長兵衛は、右に折れて万年橋へと向かった。大川端の道の左手には、武家屋敷が連なっている。高い白壁に跳ね返された月の光が、ぼんやりと道を浮かび上がらせていた。

右手は大川だが今夜は屋根舟が出ておらず、川面は暗い。

長兵衛は折り鶴の提灯《ちょうちん》も断わった。

足元を照らす灯はなく、月が雲に隠れると闇《やみ》が深くなった。暗がりを歩きつつ、長兵衛は今し方のやり取りを思い返した。

千束屋は、長兵衛に誘いをかけにきたわけではなかった。ただ内情を聞きだしたかったに過ぎなかった。素直に長兵衛が答えるとは思っていなかったらしく、顔の動きから問いの答えを読む男を同席させていた。

まんまと千束屋にしてやられた……。

歩きながら深いため息が漏れた。

誘われても断わろうと、会食の途中で長兵衛は決めた。ところが相手は、はなから誘う気などなかった。それを思い知って、長兵衛は深く傷ついた。

女房も娘も、千束屋が長兵衛を求めてきたと思い込んでいる。千束屋勤めの肩書きがあれば、暮れの祝言《しゅうげん》でもいい顔ができる……ふたりの胸のうちを思うと、やりきれなさに足が止まりそうになった。

木村屋の誘いを受けるしかないか……。

月が隠れて明かりの途絶えた道で、長兵衛は声に出してつぶやいた。

雲が流れて月が戻ってきた。

前方に万年橋が見えている。盛り上がった橋の向うから、夜鳴きうどんの売り声が流れてきた。

八

永代橋の東岸は、廻漕《かいそう》問屋の蔵が建ち並ぶ佐賀町河岸だ。その南のはずれに一軒だけ建っている二階家が、魚卸《うおおろし》の木村屋である。

あるじの伝兵衛《でんべえ》はこの年の正月で五十の峠を越えたが、家族も身寄りもいない。

人嫌いではなかった。

連れ合いを求めるよりも、商いを大きくすることに気がいったまでである。

『人は陸を、物は水を』という。

荷車よりは舟のほうが、はるかに多くの品を運ぶことができるからだ。

伝兵衛が一代で、棒手振《ぼてふり》（魚の担《かつ》ぎ売り）三十人を抱える魚卸を築き上げられたのも、店の地の利ゆえである。木村屋は大川と霊巌島新堀づたいに、日本橋魚河岸まで舟で行き来することができた。

魚河岸の中卸と町場の魚卸との商いは、月一回決済の掛売《かけう》りである。伝兵衛は中卸がその日に売り残した魚を、そっくり現金で買い取った。

鮮魚は夜が越せない。

現金で余り魚を引き取ってくれる木村屋は、中卸にはありがたい相手である。毎日四ツ（午前十時）を過ぎると、中卸は木村屋に回す魚を選《よ》り分けた。日によって余る魚の量も種類も異なったが、どれほど多くても、伝兵衛はすべて引き取った。魚河岸から佐賀町まで、自前の舟で運べたがゆえにできたことである。

多くの品を素早く運べることで、木村屋の魚は活《い》きがよかった。仕入れたものを売り歩くのは、三十人の棒手振である。

「へい、おまちどお……今日も飛びっきりの魚ばかりだぜ」

棒手振連中が口開けの得意先をたずねるのは、毎日八ツ（午後二時）と決まっていた。

千束屋に招かれた夜から幾日も思案を重ねた末、長兵衛は四月二日の八ツ過ぎに木村屋をおとずれた。この時刻を選んだのは、棒手振が出払ったあとだと分かっていたからだ。

「よく顔を出してくれやした」

伝兵衛が日焼けした顔をほころばせた。

木村屋の一階は、魚を仕分ける土間と物置、それに台所である。うろこが飛び散っている前垂れを外した伝兵衛は、先に立って二階に長兵衛を招き上げた。

隣町から通いできている賄《まかな》い婆《ばば》が、番茶を運んできた。

「うちにきてもらえるんですかい」

婆が階段をおりる間も待てずに、伝兵衛が問いかけた。

「そのことを詰めたくてうかがった」

歳《とし》は長兵衛が四歳年長だが、話は木村屋に勤めるについての煮詰である。しかしいまはまだ、長兵衛は木村屋に雇われてはいない。あるじよりも、奉公を始めようとする者のほうが格上のような口ぶりだった。

「詰めるもなにも、うちは今日からでも長兵衛さんに来ていただきてえんでさ。とにかく帳面づけが溜《た》まってて往生してますんでね、助けてくだせえ長兵衛さん、この通りだ」

雇い主となる男が、畳に両手づきをして頼み込んだ。

「分かったよ、伝兵衛さん。明日からご厄介になろう」

長兵衛の口ぶりは、勤めてやるぞといわんばかりだった。

今年二月一日まで、木村屋の帳面は賄い婆と同じ相川町に住む五十七歳の手代上がり、土岐蔵《ときぞう》が見ていた。日本橋蠣殻町《かきがらちょう》の穀物問屋で算盤《そろばん》を弾《はじ》いていた土岐蔵は、九年前に足をわるくして通いがきかなくなった。

そのころ商いが大きくなり始めていた伝兵衛は、賄い婆の口利《くちき》きで土岐蔵を雇い入れた。様々な穀物の帳面付けをこなしていた土岐蔵には、木村屋の商う魚の種類ぐらいは高《たか》が知れていた。

以来、九年の間、木村屋の勘定始末はすべて土岐蔵が見てきた。ところが今年の二月二日にひいた風邪をこじらせてしまい、三日寝込んだ後に亡《な》くなった。

土岐蔵の篤実《とくじつ》な人柄は、棒手振からも慕われていた。とむらいの費えはすべて伝兵衛が担《にな》い、残された妻子には五十両という破格の弔慰金まで支払った。それほどに土岐蔵は大事な男だったのだ。

勘定を受け持つ男に急逝されて困り果てた伝兵衛は、井筒屋に周旋を頼んだ。さいわいにも三月の出替りでひとが見つかり、伝兵衛は安堵《あんど》した。

周旋した男は三日と勤めが続かなかった。

「魚の生臭いのがこらえられません」

井筒屋が中に入って掛け合ったが、男は首を縦に振らなかった。

事情を手代から聞かされた長兵衛は、始末を誤ると井筒屋の暖簾《のれん》にかかわりかねないと判断し、頭取番頭みずからが詫《わ》びに出た。

周旋した数が二千人の大台を超えていただけに、なおさら暖簾は大事だったからである。

「九月の出替りまでには、腕の立つ勘定掛を周旋します。なにとぞご容赦ください」

半年も先では困る、と伝兵衛は険しい声で文句をつけた。が、頭取番頭みずからが詫びにきたことと、なにがあっても九月には確かな腕の者を周旋すると請け合われて、伝兵衛も折れた。

長兵衛が引退を迫られたのは三月七日。

木村屋に詫びに出向いた翌々日のことである。長兵衛は思案に暮れた。しかし井筒屋頭取として約束したことである。

「かならず九月までに見つけてくれ」

あとを委《ゆだ》ねる清四郎にきつく言い置いたその夕方、長兵衛はもう一度木村屋をたずねた。

「だったら長兵衛さん、あんたがうちにきてくれやせんか」

伝兵衛は渡りに舟とばかりに、長兵衛に勘定を見てくれと言い出した。

前任の土岐蔵は雑穀問屋に勤めた男だ。井筒屋は土岐蔵が奉公した先よりも、はるかに大店《おおだな》である。

「井筒屋さんの頭取番頭まで務めた長兵衛さんがきてくれるなら、うちでできることは何でもしやすから」

伝兵衛の申し出を、長兵衛はその場では受けなかった。断わりもしなかった。受けなかったわけは、井筒屋がかならず助けを求めてくると思ったからだ。

清四郎はまだ頭取の器量ではない。どう意地を張っても、わたしの助けがいる。こう思うのは思い上がりではない、井筒屋にはまだわたしが必要だ……木村屋から帰る道々、長兵衛が胸のうちで考えたことである。

さりとて長兵衛は、申し出を断わりもしなかった。しばらく考えさせてくれ、と答えを控えただけである。

井筒屋が自分を求めてくると思いつつも、ことによると……と、不安も抱えていたからだ。

結果は不安のほうが的中した。

井筒屋からは今日に至るまで、まったく音沙汰《おとさた》なしである。百両の隠居金は、井筒屋との縁切り代だったと、長兵衛は骨身に染《し》みた。

千束屋から招かれたときは、胸のうちで有頂天になった。が、折り鶴で会食をするうちに、誘われても断わろうと決めた。もしも、あのとき長兵衛から断わることができていたら、木村屋に勤める気にはならなかった。

給金が一文も入ってこなくなったとしても、隠居金でつましく暮らせばなんとかなる。この算段ができていたこともあり、自分から千束屋を断わったという矜持《きょうじ》が、そのあとの長兵衛を支えてくれただろう。

ところが千束屋には、長兵衛を雇い入れる気はまったくなかった。招いたのは、長兵衛の様子を通して、井筒屋のありさまを知りたかっただけである。

これを思い知らされて、長兵衛は誇りをずたずたにされた。

幾晩も浅い眠りが続いた。

おせきもおまきも、勤めに出ないあたしに倦《う》んでいる……。

長兵衛はそう思い込んだ。

朝から家に居続けることにも、ほとほと嫌気がさしていた。

わたしを必要としている先がある。

それにすがるような思いで、木村屋をたずねた。伝兵衛は心変わりしておらず、すぐにも来て欲しいという。

それが嬉《うれ》しかった。

しかし井筒屋の頭取まで務めたおれが、生臭い魚屋の帳面づけか……と、木村屋を見下してしまう気持ちも湧《わ》いていた。そのことが、伝兵衛に対しての物言いに出ていた。

「これで胸のつかえが取れたようなもんだ。明日からはよろしく願いやす」

伝兵衛は心底から喜んだ。

「すぐにでも井筒屋さんに出向いて、周旋話を断わってきやすから」

「よろしく」

長兵衛は軽くあたまをさげた。

伝兵衛は残り物の魚でこしらえた干物を十枚長兵衛に手渡して、店先で見送った。心配ごとが消えて、西に傾きかけた日を浴びる伝兵衛の顔がほころんでいた。

九

今年は、四月二十八日に木村屋も初鰹を商った。

料亭は初鰹の御作りとして、この日はひと鉢五切れの刺身を、一分《いちぶ》（千二百五十文）の高値で供した。

「初鰹がへえったよう。いつも買ってくれるお得意さんへのご祝儀《しゅうぎ》だ、半身で三百文でいいぜ」

棒手振《ぼてふり》の口上が終わると、長屋の女房連中が百文刺し三本を手にして群がった。三百文といえば、職人一日の手間賃に相当する高値である。

しかし縁起物の初鰹だけは、どの家でも米味噌《こめみそ》を切り詰めてでも買い求めた。高いといっても、木村屋の半身三百文は、ほかの棒手振に比べれば半値以下だった。

初鰹が過ぎた五月上旬になっても、鰹は獲《と》れ続けた。魚河岸にはほかの魚がほとんど入らず、売れ残るのは鰹だけだ。伝兵衛の仕入れも鰹だけの日が続いた。

五月下旬になると、梅雨のおとずれを思わせるような曇りの日が続いた。

商いも空模様と同じように芳《かんば》しくなかった。いまだに鰹だけの仕入れが続いていたからだ。

ほかの魚を仕入れようとすれば、市場の高値を呑《の》むしかない。そんな値で仕入れても、長屋の客には手が出せないのは分かり切っている。ゆえに伝兵衛は鰹のほかは仕入れなかった。

棒手振は商いに往生していた。

鰹はことのほか足が早い魚である。曇り空に助けられて途中で傷《いた》むことはなかったが、夕方になっても売れ残る日が続いた。

客は鰹に飽きていた。

いくら江戸っ子が鰹好きだといっても、安値でいいといわれても、毎日は食べない。夏野菜が出回り始めていたし、アサリ、しじみも旨《うま》くなってきていた。売れ残った鰹は干物にもできない。鰹節を作ろうとしても手間がかかるし、なにより棒手振の手には負えないのだ。

伝兵衛は中卸との約束で、売れないからといって仕入れの数を加減はできない。数を減らしたりしたら、先の仕入れに障《さわ》りが出る。

売れ残りの鰹を持ち帰る棒手振衆のどの顔にも、飽き飽きした色が濃く浮いていた。

五月二十三日の夕暮れどき。

大川端の空には、この日も分厚い雲がかぶさっていた。日ごとに丈を伸ばしている雑草が、土手を緑に染め替えている。その緑のなかに、伝兵衛と三人の棒手振がいた。

「あっしらは、とっても長兵衛さんのやりかたにはついていけねえ」

「井筒屋の流儀だかなんだかは知らねえが、おれっちは棒手振だ。朝の五ツ（午前八時）から、寄合に引っ張り出されるのはまっぴらでさ」

「長兵衛さんは、ふたことめにはうちは、うちはって言うけどねえ、あのひとが言ってるうちてえのは、木村屋じゃねえ。いまだに辞めさせられた井筒屋を、うちと呼んでるんですぜ。けったくそわるくて聞いてらんねえ」

三人が口々に長兵衛への不満を口にした。

「このまんま放っといたら、あっしらと長兵衛さんとがぶつかっちまうんだ。親方の口から、長兵衛さんにそう言ってくだせえ」

「おめえらに四の五の言われることじゃねえ。おれのやり方に文句があるてえなら、たったいま盤台をけえせ」

伝兵衛が三人を睨《にら》みつけた。

「そんな……あっしらはただ親方に……」

「うるせえ」

伝兵衛が相手の口を怒鳴り声で抑えつけた。

「長兵衛さんは、おれがあたまをさげてきてもらったひとだ。おめえらの言うことはしっかり聞いたが、それを長兵衛さんに言うの言わねえのの指図を、おれにするんじゃねえ」

伝兵衛は物分りのいい親方で通っていた。怒鳴り声を聞くことも稀《まれ》である。これまで見たこともなかった伝兵衛の形相に腰が引けたのか、棒手振三人はあとの言葉を呑み込んだまま土手をおりた。

ひとり残った伝兵衛は土手に座り込んだ。

連日、鰹が売れ残るのを見せつけられて、伝兵衛はいささか苛立《いらだ》っていた。なんとか胸のうちに押し込んでいたが、その苛立ちを棒手振たちが引きずり出した。

怒鳴り声をあげながらも、あたまのなかでは棒手振の言い分ももっともだと思っていた。

朝五ツの寄合というのは、長兵衛が始めたことである。

「うちでは毎朝それをやってきた。手代から聞かされる数字を基にして、あたしはうちの舵取《かじと》りを決めた」

長兵衛が連発するうちが、木村屋ではなく井筒屋を指していると知ったのは、初日の午後である。棒手振を集めて、井筒屋のときと同じように、前日の商い高を聞き取りたいという話のなかで、長兵衛は何度も「うち」を口にした。

四十年以上も勤めた先のことだ、すぐには忘れられないんだろう……こう思った伝兵衛は、あえて気にとめずに聞き流した。

棒手振全員を集めて、各々《おのおの》が前日の商い高を伝えるという案は、互いに励みになるだろうと考えて伝兵衛も同意した。

ところが励みにはならなかった。

聞き取る長兵衛は、その者の前日の数字をなぞり返し、一文でも下がっていたら、厳しく詮議《せんぎ》した。これを毎朝、三十人全員に繰り返した。それだけで半刻《はんとき》（一時間）はかかった。

棒手振は売り歩くのが仕事である。

その日の商いの上首尾を願い、暇があれば盤台を洗ったり、包丁を研いだりと、魚の売れ行きにつながることに汗を流した。

また店まで通ってくる道々で、女に最初に出会えば今日は売れるなどと、それぞれが自分流の縁起を大事にしていた。

長兵衛は朝のいわば口開けから、数字を詮議し、ときには小言までくれた。

それが木村屋の商いには大事だと諭されても、手代は得心できても棒手振には通用しなかった。

伝兵衛も感じ方は棒手振と同じだった。

長兵衛さんと膝詰《ひざづ》めで、とことん話し合わなくては……。

伝兵衛の顔は、空模様以上に曇っていた。

十

五月二十六日の朝五ツ半（午前九時）、冬木町に降る雨は一段と激しさを増していた。これで二十四日から三日降り続いている。おとといはさほどに強い雨ではなかったが、二十五日午後から本降りとなった。そのままいまも降り続いていた。

カン……カン……カン……。

亀久橋たもとの火の見やぐらが、間延びした三連打を繰り返している。仙台堀の水かさが、大きく増していることを知らせる半鐘である。さらに増えるとカン、カンの短い二連打に変わり、溢《あふ》れたらジャンジャンジャンジャンと、擂半《すりばん》で急を知らせる。

三連打が打たれ始めてから、おせきとおまきが二階に上がってきた。長兵衛とは向かい合わせの部屋である。いつもは母娘《おやこ》が襖《ふすま》を閉じて談笑していたが、いまは開いたままだ。仙台堀が増水しているいま、閉じこもっているのが怖いからだろう。

長兵衛は障子窓を開いて、雨に打たれるいっぽん桜を見ていた。大きな雨粒が、桜の葉を叩《たた》いている。風もないのに葉が揺れているのは、それだけ雨脚が強いからだ。

桜を植えてから、ろくなことがない。この古木を売った農家の怨念《おんねん》が、なにかわるさをしているんじゃないか……。

長兵衛は恨みを含んだような目で、桜を見詰めている。

目は桜に向いていた。

しかしあたまでは、五月二十四日朝の伝兵衛との話を思い返していた。

「もうちょいと、棒手振《ぼてふり》たちにやさしい話しかけをしてやってくれやせんか」

木村屋の二階で長兵衛と差し向かいに座った伝兵衛が、ことさらゆっくりした調子で話しかけた。二階の障子が大きく開け放たれており、長兵衛のうしろには雨にかすんだ永代橋が見えた。

「やさしくとはどういうことだ」

長兵衛の語調が尖《とが》っている。この日の朝五ツの寄合を、自分に無断で伝兵衛が取りやめたからだ。

「連中には、朝はでえじな用が控えてるんでさ。商いがどうだったかは、毎日やらなくてもいいでしょう」

「なんだ伝兵衛さん、帳面づけをしっかりやってくれと言ったのはあんたじゃないか」

「ですがねえ、帳面づけと商いの数字を言うのとは、かかわりがねえと思いやすがね」

「あんたがそんなだからだめなんだ」

長兵衛の語気が荒くなった。

「数字は舵取《かじと》りの基本だ。なにが無駄か、なにが足りないかをはっきり教えてくれる。それをかかわりがないなどと軽くいうから、半月以上も無駄な鰹《かつお》を買い続けたりするんだ」

「分かりもしねえで、半端《はんぱ》な口をつっこまねえでくれ」

伝兵衛も相手に負けない大声で切り返した。

「なにが半端だ。あたしはこのやり方で、うちの舵取りをしっかりやってきた」

「それだよ、長兵衛さん」

伝兵衛が相手の胸元めがけて、人差し指を突き出した。

「いつまであんたは、暇を出された先のことをうちと呼ぶんだよ」

言われた長兵衛が、うっ……と言葉を吞《の》み込んだ。が、目は怒りに燃えていた。

「そんな目で睨《にら》みつけるのは、お門違いというもんだ。あたしもうちの棒手振たちも、長兵衛さんにきてもらえて鼻がたけえんだよ」

話を自分で区切った伝兵衛は、階下におりると手になにかをさげて戻ってきた。長兵衛の膝元《ひざもと》に置いたものは、一枚のスルメだった。

「長兵衛さんはもはやイカじゃねえ、スルメなんだよ」

いきなりの喩《たと》えが呑み込めず、怒りに燃えていた長兵衛の目に戸惑いが浮かんだ。

「大店《おおだな》の頭取番頭だったあんたは、いってみれば海で泳いでたイカだ。ところがそこから暇を出されてうちにきた」

暇を出されたと言われて、長兵衛の目がまたいきり立った。伝兵衛は取り合わずに話を続けた。

「元はおんなじイカだろうが、ここにきたからには、もうイカのつもりでいてもらっちゃあ困るんだよ。木村屋という魚屋に勤める、スルメに変わってくんねえな。そうでなくちゃあ、どんだけいいことを言ってくれても、だれも耳は貸さねえさ」

これだけ言ったあと、スルメを残して伝兵衛は二階からおりた。

昨日、今日と続けて長兵衛は勤めを休んだ。断わりなく休んだのではない。二十四日の帰り際《ぎわ》、伝兵衛にそのことを伝えた。

「お互いに気持ちをすっきりさせるには、二日の休みはちょうどかも知れやせん」

伝兵衛は先刻の話し合いのしこりは残っていないという顔で、休みたいという長兵衛の願いを受け入れた。

休んだ二日とも雨である。

次第に雨脚が強まっており、物思いを閉じたら、半鐘が二連打に変わっているのに気づいた。

井筒屋では、得意先の町がどうなっているかを案じ始めていることだろう。清四郎はきちんと指図をしているのか……。

また井筒屋のことを考えていると知って、小さな舌打ちをおのれにくれた。

伝兵衛はうまい喩えを示してくれた……。

思い返した長兵衛は、思わず唇の端をゆるめてしまった。ゆるめてしまえるこころのゆとりができていた。

たしかにあたしは、井筒屋の頭取だったことにしがみついていた。

女房から離縁を切り出され、しかもそこから追い出されたのに、未練たらしく、相手がまだ女房であるかのように思っている。

長兵衛はいっぽん桜を見た。

植え替えられてすでに七年である。

桜は枯れもせず、新しい場所にしっかりと根を張っている。それがあかしに、咲いたり咲かなかったりと、いままで通りのいとなみを繰り返している。

それにくらべてあたしは……。

植え替えられる前の土を懐《なつ》かしんで、いまの土に馴染《なじ》もうとしていない。

長兵衛はおのれの振舞いを深く恥じた。

そのとき。

半鐘が擂半を打ち始めた。

十一

仙台堀から溢《あふ》れ出た水が、冬木町のなかを暴れ回っていた。

深川冬木町から大和町にかけては、地べたがゆるい傾斜になっている。歩いてでは分からない程度の下がり方だが、水は知っていた。

仙台堀は大川につながる堀である。大川の土手は高く、それを乗り越えるほどには水かさは増していない。

しかし仙台堀は大川に比べて低かった。そして冬木町、大和町はさらに低くなっている。冬木の町に溢れ出た川水は、仙台堀のものだけではなく、大川から流れ込んできた洪水も一緒だった。

「おとうさん」

おまきが怯《おび》えた声を出した。

「落ち着きなさい。ここは二階だ、水があがってくることはない」

「でも、凄《すご》い音がしているわよ」

たしかに暴れ水は音を立てていたし、ありとあらゆる物を流れに巻き込んでいた。

長屋の路地に置かれていた芥箱《ごみばこ》。

水に浸《つ》かった下駄屋がしまいそこねた、仕掛かり途中の下駄。

木場に運ぶいかだからはぐれた丸太。

無数のゴミ。肥溜《こえだ》めから流れ出した糞尿《ふんにょう》。井戸端に置きっぱなしにされていた、たらいに洗濯板。防水桶《ぼうすいおけ》。小売屋の看板……。

これらを巻き込んで流れる水は、低くて唸《うな》るような音を発している。ものが家にぶつかると、別の音を立てた。

それらの音におおいかぶさるような、半鐘の擂半《すりばん》。

おせきもおまきも、水よりも音に怯えた。

今朝早く、三連打が鳴り始めたときに、長兵衛は一階の大事な物は二階に運び上げていた。残したのは、水に流されても仕方がないと肚《はら》をくったものばかりだ。

「やることは全部やった。おまえたちは、水の様子をしっかり見守っていろ」

「はい」

長兵衛がうろたえていないことが、女房と娘を落ち着かせた。雨脚は一向に弱まってはいないが、昼前のことで外には明かりがある。この明るさが心強かった。

木村屋は大丈夫だろうか……。

凄《すさ》まじい速さで流されてゆく芥箱を見つつ、長兵衛は木村屋の安否を気遣った。もう井筒屋のことは思いのなかから消えていた。

「おとうさん、ちょっときて」

大和町の方角を見ている娘が、差し迫った声で父親を呼んだ。

「どうした」

長兵衛は娘の部屋に駆け寄った。

部屋の柱が不気味な音を立てていた。固めたものを無理に動かそうとするときの、きしみに似た音だ。

ギイッ……ギイッ……。

間延びした音がいやらしい。

ゆっくりした動きだが、柱が左右に揺れていた。

娘が柱に耳をくっつけた。

「なにかがぶつかっているみたい。おとうさんも聞いてみて」

すぐさま長兵衛が耳をあてた。

「流れてきた丸太かなにかが、床の下の土台に当たっている……」

長兵衛の顔色が変わっていた。

借家なので、家の基礎がどうなっているかは分からない。しかしもし丸太が当たり続けて、床の下の土台柱が一本でも外れたりすれば、家が一気に崩れてしまう。

長兵衛のほかに男手はなかった。

「あたしが確かめてくる間、おまえたちは家の外に出ていなさい」

「おとうさんひとりで大丈夫なの」

おまきの声が怯えていた。

「あなた……」

おせきが長兵衛の袖《そで》をひいた。

女房は大和町を指差している。その指の先をたどった長兵衛が目を見開いた。

おとなの膝《ひざ》の半ばまでの水が、冬木町から大和町に向けて音を立てて流れている。

その流れに逆らって、七人の男が冬木町に向かって歩いてきた。蓑笠《みのかさ》は身につけておらず、股引半纏《ももひきばんてん》姿である。

その姿を遠目に見た刹那《せつな》、長兵衛には七人がだれだか分かった気がした。

近づくにつれて、確信に変わった。

七人が軒下まできた。

「長兵衛さん……でえじょうぶですかい」

木村屋の棒手振《ぼてふり》たちだった。

「ありがとう。すぐにおりる」

「がってんだ」

水は上がり框《かまち》のすぐ下まできていたが、まだ座敷にまでは浸水していない。男たちは玄関の土間に集まっていた。

口を開けば、やれだらしないだの、そんなやり方では駄目だのと、いやな小言ばかりをぶつけてきた棒手振たちである。七人の男が、長兵衛をこころよく思っていないのは充分にわきまえていた。それなのに、みなは安否を気遣って水のなかを出向いてきてくれた。

大店《おおだな》の奉公では気づかなかった、正味のひとの情けとはこのことか……。

込み上げる思いで、長兵衛は言葉が詰まった。そのさまを、棒手振たちは取り違えた。

「そんなにいけねえんですかい？」

年若いのが、長兵衛の顔をのぞき込んだ。大きく息を吸い込み、長兵衛は背筋を張った。

「家の土台に丸太がぶつかっている」

「そいつあ大ごとだ」

七人がすぐに四方に散った。

「こっちだ、こっちだ」

なかのひとりが大声で仲間を呼んだ。

ぶつかっていたのは、差し渡し八寸はありそうな杉の丸太だった。なにかのはずみで床の下にもぐりこんでしまい、出るに出られなくなって土台にぶつかっていたのだ。

床の下でも水の流れはきつい。

棒手振が七人がかりでなんとか引き出し、水に浮かせたまま玄関まで運び込んだ。

八寸径の丸太をそのまま流したりしたら、どこに災難を持ち込むか知れたものでないからだ。

「邪魔でしょうが、水がひくまで、ここに置いたままでいいですかい」

「遠慮などいるか」

乱暴な言い方だったが、感謝に充《み》ちている。棒手振七人が長兵衛に笑いかけた。

「佐賀町の様子は？」

「でえじょうぶでさ」

七人の中でもっとも年長の棒手振が、きっぱりと答えた。

「ここにくる道々に見てきた空の端が、明るくなってきてやした。雨も昼過ぎには上がりやすぜ」

笑いかけた棒手振の髷《まげ》から、ぼたぼたとしずくが垂れ落ちた。


雨は棒手振の見当よりも長引いたが、夕刻には上がった。

翌朝は、嵐《あらし》が過ぎ去ったあとのような晴天となった。暴れ水がゴミの山を庭に残している。五ツ（午前八時）の鐘のあと、片付けの身支度をしたおせきとおまきが庭掃除を始めた。

長兵衛は二階から桜を見ていた。

あの雨と水に襲い掛かられたのに、びくとも揺らいでいない。朝日を浴びた葉は、明るい緑色に輝いていた。

この日の通いが片づけで遅くなることは、昨日の棒手振たちに伝えておいた。

どれほどひどい爪《つめ》あとになるかを案じていたが、見たところ女房と娘だけで手が足りそうだ。おまきの許婚《いいなずけ》も、あとで手伝いにくるに違いない。男と面倒くさいやり取りをするよりは、早く木村屋に顔を出したかった。

手早く身支度を整えた長兵衛は、おせきが用意してくれた握り飯をひとつ頬張っただけで、家を出た。

通いなれた道が、すさまじく汚れていた。臭《にお》いもひどい。

しかし長兵衛は、棒手振たちが来てくれた道を歩くのが心地よかった。佐賀町に向かう歩みには、張りがある。富岡八幡宮《はちまんぐう》に無事の礼をしたあと、また足を急がせた。

仲町の辻《つじ》まで出たところで、井筒屋の手代と行き会った。

「あっ……頭取じゃないですか」

「おはよう」

長兵衛はこだわりなくあいさつをした。

「昨日の暴れ水は冬木のほうだったと聞きましたが、頭取のおたくはご無事でしたか」

手代は長兵衛におもねるかのように、頭取に力をこめた。

長兵衛は深い息を吸い込んで、そしてゆっくりと吐き出した。背筋が張っている。

「うちの若い衆が助けにきてくれてね」

それだけ言うと、あとも見ずに歩き始めた。

萩《はぎ》ゆれて

一

濃い緑の精気が、真夏の朝の山道を包んでいた。路肩を埋めつくした山歯朶《やましだ》には、まだたっぷりと露が残っている。陽の加減で、露の玉が輝いた。

城下では見たこともない鮮やかな色の野生花が、むせ返るような山の空気のなかで咲いている。

その花と木々の葉の透き間から、朝の陽を照り返す浦戸《うらど》湾が見えていた。

兵庫《ひょうご》は眼下の眺めが楽しめる、曲がり道に腰をおろした。路肩から足を投げ出し、宿が調えた握り飯の竹皮包みをほどいた。

服部《はっとり》兵庫は天明七（一七八七）年の今年、二十二歳になった。上背は五尺八寸（約百七十六センチ）と豊かだが、小作りの顔に薄い眉《まゆ》、いつも朱に染まったような頬という顔相のため、力強さが伝わってこない。

藩の上士《じょうし》に人気のある辻修平《つじしゅうへい》道場に通ってはいても、五回に一本取れる程度の腕である。城下から三里離れた浜井和《はまいわ》温泉にひとりで長逗留《ながとうりゅう》しているのも、木刀で試合した打ち身の湯治だった。

この木刀試合は、辻の知らない果し合いのようなものだった。手もなく負けた兵庫は、湯治を理由にして、仲間内の嘲笑《ちょうしょう》と師の叱責《しっせき》から逃げ出した。

兵庫は土佐藩勘定方祐筆《ゆうひつ》、服部清志郎《きよしろう》の長子である。五歳年下の妹、雪乃《ゆきの》がいた。果し合いで心身を傷《いた》めた兵庫を気遣い、浜井和への湯治を強く勧めたのは雪乃である。

「母上を放ったままで、湯につかれるか」

病床の母を思い、兵庫は妹の勧めを撥《は》ね付けた。

雪乃は一歩もひかなかった。

それほどに、妹には兄が深手を負って見えたのだろう。

どこから工面したのか、雪乃は三両の銀藩札を兵庫に手渡した。始末して逗留すれば、浜井和ならふた月は泊れる金高である。

妹の心遣いを感じ取ったことと、母親からも湯治を促されたことで、兵庫は渋々ながら浜井和での湯治を受け容《い》れた。

すでに湾の先の空には、入道雲が湧《わ》き上がっていた。

今日もまた暑い一日か。

ひとり言をつぶやきつつ、兵庫は竹皮の握り飯に手を伸ばした。

「きゃああ……」

女の悲鳴が曲がり道の先から聞こえてきた。

兵庫は手にした握り飯をひと口頬張ったあと、脇差《わきざし》を手にして駆け出した。

曲がり道のすぐ先で、いかにも浜育ちらしい娘が、右手を血に染めてうずくまっていた。

「なにがあったのだ」

「まむしが足に……」

娘の左足親指に、まむしが食らいついて暴れている。

兵庫は思わず腰をひいた。

城下でも蛇はみかけるが、まむしは見たことがなかった。斑茶《まだらちゃ》の蛇を素手で摑《つか》む度胸が湧かず、脇差で斬《き》り払おうとした。

「そんなことしたらいかんちや」

娘が苦しそうな声で兵庫をたしなめた。

「あたまをつかんで牙《きば》を抜かんと、まむしの毒がとれんきに」

これだけ訴えて、娘の顔から血の気が引いた。身体《からだ》つきが豊かなだけに、哀願するような目が痛ましく見えた。

その目を見て、兵庫の肝が据わった。

「おれはまむしを知らん。どうすればいいか言ってくれ」

「あたまをつかんで、そのまま上に引き抜いたらええ。それで牙ごと抜けるきに」

「分かった」

兵庫は蛇をつかもうとして手を伸ばした。

まむしは尾をくねらせて、兵庫の手首に巻きつこうとする。ぬめっとして冷たい蛇の手触りに、兵庫はふたたび怯《ひる》んだ。

が、娘は兵庫を頼りきっている。娘の目に後押しされて、一気にまむしを引き抜いた。

「にいちゃん、おおきに」

「あとは、どうすればいいんだ」

「紐《ひも》でもなんでもで、腿《もも》をきつく縛って。ほいたら毒が回らんようになるきに」

兵庫は縛るものを探した。

真夏の薄着で紐がない。

仕方なく袴《はかま》を脱ぎ捨てて、袴の紐で娘の腿を強く縛った。

娘は倒れた拍子に、鎌《かま》で手のひらも切り裂いていた。兵庫は袴の端切《はぎ》れで手のひらの傷口を強めに巻き、その場の血止めをした。

「とりあえず、おれの宿に行く。おぶって走るから、しっかりつかまってろ」

兵庫は袴を引き裂き、一本の長いたすきをこしらえた。着ている絣《かすり》の裾《すそ》を端折《はしょ》った。

そして娘を背負うと、たすきを回してしっかりと前で縛った。

背負ってみて分かったが、娘は大きくて重かった。ゆえに走り始めは、木刀で打たれた打ち身が痛んで前に横によろけた。が、すぐに道場での稽古《けいこ》を身体が思い出し、走りの調子がとれ始めた。

首筋に娘が漏らす吐息がかかる。

背中には薄着越しに、娘の豊かで柔らかな乳房の感じが伝わってくる。

後ろ手で抱える尻《しり》は肉置《ししお》きがいい。

なんと不謹慎なことを……。

懸命に打ち消したが、若いだけに血が鎮《しず》まらない。背負った娘の匂《にお》いと肌の感じとに上気しながら、兵庫は山道を駆けおりた。

けた。

「りくちゃん、どうしたがぜよ」

息を切らして飛び込んできた兵庫を見るなり、宿のあるじは背負われた娘に声をかけた。

兵庫を見る目が険しい。

「山でまむしにかまれた。右手も鎌で怪我《けが》をしている。すぐ手当てをしてやってくれ」

たすきをほどく兵庫の手がもつれている。事情を察したあるじの新兵衛《しんべえ》は、たすきのほどきを手伝った。

「妙な目で見たりして、すまざった」

新兵衛が勘違いを詫《わ》びた。

「すぐに毒を吸い出さんといかん」

新兵衛がひとを呼びに駆け込んだ。

ばたばたっと大きな音をさせて、数人の男が飛び出してきた。娘を抱えると、風通しのよい二階の客間へ駆け上がった。

新兵衛は娘の足の親指に包丁で切り口を作り、口をつけて血を吸い出した。

どす黒い血が吐き出された。何度か繰り返すうちに、血の色が戻ってきた。

「毒は回ってないきに、もう平気や」

「おんちゃん、ありがとう……」

りくの声は、まだ弱々しかった。

「うちを助けてくれたおにいちゃんは、どこにおるの?」

りくが起き上がろうとした。

「うちの客や。どこにも行きやせんきに」

新兵衛がりくの身体を抑えつけた。

階下では、兵庫が汗を拭《ぬぐ》いながら、乱れた息を整えていた。

浦土屋《うらどや》のわきでは、潮風を受けて萩《はぎ》が揺れていた。南国ならではの強い陽が、まともに萩の群れに差している。

色づくのは、まだまだ先である。若々しい葉は、あたかも兵庫の息遣いに調子をあわせているかのごとくに揺れていた。

二

兵庫が浜井和に来てから、すでに十日が過ぎていた。城下から来た武家の若者が、なにもせずに浜や山を徘徊《はいかい》していることに、浜井和の人々は冷たく接していた。

上背がありながらも、童顔で色白な兵庫は、同年代の漁師には腑《ふ》抜《ぬ》けに映った。

折りを見て袋叩《ふくろだた》きにしちゃろう。

浜の若者はその日を楽しみに待っていた。

りくの兄、弦太《げんた》はその先鋒《せんぽう》だった。ところが漁から帰り、山の一件を聞いたあとは、兵庫への反感を消した。

弦太はまだ二十三である。それでも網と竿《さお》さばきに抜きん出ており、浜では誰よりも速く、最も多くの魚を持ち帰った。

上背が五尺四寸（約百六十四センチ）で、厚い胸板と濃い眉《まゆ》の、いかにも漁師らしい弦太には、何人もの浜の娘が思いを寄せていた。

妹のりくは生まれついての泳ぎ上手である。潜りの長さでも、さざえやとこぶし、あわびを獲《と》る技においても、りくにかなう相手は浜井和にはいなかった。

今年十九になったりくは、黒くて潤《うる》んだ瞳《ひとみ》と、淡紅色《うすべにいろ》の小さな口元とが、日焼け顔に溶け込んでいる。豊かさを隠せなくなった胸元と腰回りは、若い漁師たちの目をひとり占めにしていた。

弦太もりくも、浜井和では人望があった。

そんなふたりがまむしの一件以来、兵庫と親しく交わり始めた。浜の人々の兵庫を見る目が柔らかくなった。

弦太の宿は兵庫が逗留《とうりゅう》している浦土屋から一町も離れていない、下浜村である。りくが兵庫に助けられてから四日目。

湾に夏の陽が沈むころ、弦太は浦土屋から兵庫を連れ出し、下浜村の家で家族と兵庫とを引き合わせた。

弦太の父、玄蔵《げんぞう》はいまでも弦太とともに海に出る漁師である。母のおはまも、二年前までは、りくと一緒に潜る海女《あま》だった。

「おまさんも身体《からだ》を痛めちゅうに、かまわんとりくを抱えてきてくれたと、浦土屋の新兵衛がいうちょった。ほんまにおおきに」

四人にあたまを下げられて、兵庫はどう答えてよいかが分からず、言葉が出なかった。

「りくを助けてもろうたけんど、おんしはおれより年下やきに、呼び捨てにするぜよ」

「もちろん」

弦太と兵庫とが笑顔を交わした。

このやり取りで場が和んだ。

「ほいたら、まずはめしじゃ」

家長の玄蔵が箸《はし》をつけた。

漁師の食卓は箱膳《はこぜん》ではなく、みんなでひとつの丸膳を囲んだ。

膳の真ん中の大皿から、にんにくが強く匂《にお》っている。皮を焼かれた刺身のようなものに、ねぎとにんにくとが、刺身をかくすほどに散らされていた。

「おんしゃあ、これを見たことはないろうがよ」

「初めて見た」

初めて見る料理に兵庫は見とれた。

「これは鰹《かつお》じゃ」

「これが？」

「おとうが獲ったばっかりの鰹を、焚《た》き火で焙《あぶ》った、たたきという漁師の料理よ。にんにくと一緒に食うたらたまらんぜよ」

宿賃を始末して長逗留している兵庫は、朝夕の食事も大したものを食べてはいなかった。

鰹のたたきの旨《うま》さに、作法を忘れて口に運んだ。

「漁師にも負けん、ええ食いっぷりじゃ。鰹は今なら何ぼでも獲れる。おまさんがいやじゃなけりゃあ、毎晩でも食いにこいや」

玄蔵が目を細めて誘いを口にした。

「はい、うかがいます」

答える兵庫の声が弾んでいた。

夕食が終わったところで、弦太が兵庫を外に誘い出した。網や竿が積み上げられた宿の戸口で、りくが二人を見送った。

浦土屋までは砂浜伝いの道である。

手ごろな岩を見つけた弦太は、兵庫と並んで腰をおろした。

「りくがおんしをえらい気にしちゅうし、おれもおんしが気になっちょらや」

弦太が横を向き、真正面に兵庫を捉《とら》えた。

「おんしが身体に怪我《けが》しちゅうと、新兵衛さんがいうちょった」

表情が定かには見えない夜の浜だが、弦太が心底から案じてくれているのが、兵庫に伝わった。

だれにも話せなかった身の上話を、弦太にならできると判じたらしく、兵庫はおのれのことを語り始めた。

「父上が切腹されたことを、ののしり笑ったやつがいて……おれはそいつに、木刀試合を申し入れた」

「ようやった。親をばかにされて、だまっちょったら男やないぜよ」

「でも弦太さん、おれはとことん、そいつに打ち込まれた」

「ほいたら、その怪我かよ」

兵庫のうなずきには力がなかった。

兵庫の父服部清志郎は土佐藩下士《かし》で、勘定方組頭佐柄木敏正《さえきとしまさ》の祐筆《ゆうひつ》を務めていた。佐柄木家は、代々勘定方組頭を拝命してきた、禄高《ろくだか》百二十石の上士である。

敏正は出入り商人からの付け届を何より喜ぶ、薄い眉と分厚い唇の男だ。根が吝嗇《けち》なだけに、数字には明るい。

敏正が勘定方に就いて以来、藩の財政は豊かになった。天明と改元してから諸国では飢饉《ききん》が続いていたが、土佐は気候に恵まれて、米は大きく収穫を伸ばした。鰹、鯨なども豊漁が続いた。

財政の好転は、天候のよさに負うところが大きかった。しかし藩の重役たちはこぞって、佐柄木の手腕を誉《ほ》め称《たた》えた。利に聡《さと》い商人は敏正に群がった。

服部清志郎は上役の隆盛を見つつも、佐柄木に媚《こ》びることも、妬《ねた》むこともしなかった。

今年の初め、清志郎の妻志乃《しの》が胃ノ腑に強い痛みを覚え、そのまま床に臥《ふ》した。

「わるい腫《は》れ物が、胃ノ腑を傷《いた》めておる。ここまできては、薬で痛みを和らげるほかに手立てはない」

医者は手遅れだと診立てた。

痛み止めは長崎の蘭学《らんがく》医者から分けてもらえるが、高価だという。清志郎は何ら迷わず薬の手配りを頼んだ。しかし薬代の工面で、たちまち服部家はカネに詰まった。

それを見透かしたかのように、食糧問屋大蔵屋が清志郎に近づいてきた。そして城内台所への納めの一手仕切と引換えに、月十両の謝金支払を持ちかけた。清志郎は大蔵屋の申し出を断れなかった。

祐筆役とはいえ、下士の数が限られていた藩では実務も担《にな》っていた。城中賄《まかな》いの米、野菜、魚の仕入は清志郎の専管であった。まいないを受けたことのなかった清志郎は、見返りを具体化する息遣いが分からず、仕入先を一気に大蔵屋に切替えた。これに腹を立てた商人たちは、切替えの不当を佐柄木に直訴した。

佐柄木は自分に無断でまいないを取ろうとした清志郎を、厳しく詮議《せんぎ》した。それだけでは気がすまず、勘定方奉行に清志郎処罰を申し出た。

大蔵屋は咎《とが》めから逃れたいがために、清志郎のほうから賄賂《わいろ》を強《し》いたと申し立てた。調べのなかで、服部家の苦しい事情が明るみになり、吟味役《ぎんみやく》たちは大蔵屋の言い分に理を認めた。さらに清志郎に切替えられた商人のなかに、吟味役遠縁の米屋がいた。これで心証が一段とわるくなった。

今年が藩主母堂の七回忌であったことが、清志郎にとどめを刺した。

下士の汚職などは、いつもであれば藩主の耳には届かない。万にひとつ、藩主の知るところとなっても、切腹の沙汰《さた》が下される所業では到底ない。藩主は名君で知られており、ここ十数年は家臣に切腹沙汰は下されていなかった。

しかし親への孝行を重んずる藩主は、七回忌の大切な節目を、恥ずべき汚職で穢《けが》されたことに激怒した。

重役たちの取り成しに耳を貸さず、清志郎に切腹を命じた。わずか十両を手にしただけで、病床の妻の行く末を案じつつ清志郎は切腹した。

この苛烈《かれつ》な沙汰には藩内が騒然となった。

清志郎を何らかばうことをしなかった佐柄木には、下士たちから怨嗟《えんさ》の声があがった。困り果てた佐柄木は、息子の隼人《はやと》に清志郎の非道ぶりを吹聴《ふいちょう》させて、若者たちに藩処断の正当性を訴えさせた。

　隼人は辻《つじ》道場で、上位十傑に入るほどに腕が立った。加えて、いつも十人近い腰巾《こしぎん》着《ちゃく》を連れ歩いていた。親からもらう、潤沢な小遣いをばらまいてのことである。

　清志郎は、これらの若者に悪《あ》しざまに言われた。兵庫も何かと嘲笑《ちょうしょう》された。切腹に怯《おび》えた清志郎が、三方《さんぽう》から転げ落ちたと、隼人はあざ笑った。

　転げたのはまことだったが、怯えてこけたわけではない。

　藩には切腹作法の詳細を知るものがおらず、介錯《かいしゃく》も検視役も不慣れであった。そのため腰をおろす三方も、十分に吟味せぬまま場に出した。

　清志郎が腰に当てると、音を立てて割れた。

　急ぎ新たな三方を出して場を収めたものの、大失態である。

　清志郎の切腹に立ち合った者には厳しく箝口令《かんこうれい》がしかれ、作り話が流された。

　その結果、隼人と兵庫とが木刀で試合《たたか》うことになった。

　しかし辻修平が、技倆《ぎりょう》の差があり過ぎる二人の木刀試合を認めるわけがない。隼人は兵庫をわざと逆上させ、いやがる隼人に果し合いを仕掛けたという形を作り上げた。

　策にのせられた兵庫の木刀は、隼人の身体をかすることもできず、したたかに打ち倒された。

父親をあざけり笑った相手に打ちのめされた兵庫は、身体以上にこころに深手を負った。

兄と母のふたりがともに病んでいるのを、妹の雪乃は深く案じた。

せめて兵庫だけでも回復して欲しいと願い、湯治の費えを工面した。

「おれはのんびり、ここで湯につかっていられる身分じゃない」

長い話を終えた兵庫が、くちびるを噛《か》み合わせた。夜空の月の蒼《あお》い光が、弦太と兵庫に降り注いでいた。

三

確かな足取りで、浜井和から夏が退《ひ》いていた。空の蒼《あお》さがやさしい色味になり、雲の形も変わっていた。

夜の浜辺で語り合った翌日から、兵庫は弦太の宿に入りびたり、網干しや漁具の手入れを教わりながら手伝った。

兵庫は六ツ（午前六時）に浦土屋を出て、弦太の浜に出向く。玄蔵と弦太はすでに漁に出ているが、りくが朝食を調えて待っていた。

魚介と、山で摘んだ香りの強い野草がごった煮になった汁と、麦飯が朝の膳《ぜん》である。りくは兵庫のために、新兵衛から茶碗《ちゃわん》と箸《はし》とをもらい受けていた。りくが嬉《うれ》しそうに兵庫に飯をつけるのを、おはまが目を細めて見ている。ときにはりくとおはまが、兵庫と一緒に朝飯を食べたりもした。

兵庫は弦太一家から優しく扱われた。

されればされるほど、兵庫は城下の桜馬場で寝たきりの母と、看病に明け暮れる妹が気にかかった。

そしてついには居たたまれなくなった。

「母上の容態が気になるし、浜井和の暮らしが性に合っていることを、母上に話してくる。妹にも会いたいし……」

兵庫が桜馬場へ戻ったのは、残暑がぶり返した朝だった。弦太からもらった、かますとアジの一夜干しがみやげだった。

たくましく日焼けした兵庫を見て、雪乃は大喜びした。

「どうしたというのですか。漁師のように変わり果てて」

母親は本気でなげいた。

兵庫帰宅の日の夕餉《ゆうげ》は、干物が膳を豊かにした。しかし息子を見てから重たい表情のままの志乃が、場を暗くしていた。

「わたしは城勤めをやめて、浜井和で漁師になります」

重たかった志乃の顔から血の気がひいた。

なんとか笑顔を保っていた雪乃ですら、その笑いが失《う》せた。

「おまえが服部を継いでもいないのに、この組屋敷に住んでいられるのは、だれのおかげか分かっておりましょうね」

「もちろん分かっています」

「それでよくも、武士を捨てて漁師になるなどとの世迷言《よまいごと》が言えますね」

胃ノ腑《ふ》の痛みをこらえているとき以上に、志乃の顔がゆがんでいた。

「家も、母上と雪乃の暮しの費えも、わたしが漁師で稼ぎ出します」

「そんなことは聞きたくもありません。漁師に面倒をみてもらうくらいなら、いっそ自害して果てたほうがましです」

苦しげな声で言い放った志乃は、這《は》うようにして床に戻り、襖《ふすま》を閉じた。

志乃が手をつけなかったかますの干物が、皿に残っている。

「お兄さまは、なぜあのような話し方をなされたのですか」

雪乃にはめずらしく尖《とが》った物言いだった。

「わたくしもいやです。商家に嫁いで、わたくしがお母さまの世話をいたします」

いつも兵庫を慕ってきた妹が、初めて兄に逆らった。

「母上に申し上げた言葉に、思慮が足りなかったのは謝るが、おれが言いたかったことを終わりまで聞いてくれ」

兵庫は懸命に頼み込んだ。そして妹の返事も待たずに話を続けた。

りくと山で出会った日のことから端折《はしょ》らず、順を追って妹に聞かせた。雪乃は話の腰を折らず、静かな目で聞き入った。

浜辺で弦太と語り合った夜にまで、話が進んだ。

「弦太さんに話しながら、城勤めを続けた父上の苦労が、おぼろげながらも分かった気がした。父上はさぞかし、気苦労を重ねられていたことだと思う」

海を相手に、命がけで漁に出る弦太一家の営みに触れて、兵庫は武家の生き方の味気なさを思い知った。

清志郎は何事によらず、作法通り、前例踏襲を重んじた。変化や精気とは無縁である。

しかし仕事に変化がないだけに、人付き合いには気配りが求められた。上役の顔色をうかがい、同輩の振舞いに気を張り詰めていなければならない。

浜井和の漁師は、仕事に命を賭《か》けていた。獲物を惜しみなく与えてくれる海は、鋭い牙《きば》と、長い爪《つめ》とを隠していた。なめて近寄ってくる者には、海は容赦をしなかった。

城勤めの武家は、仲間を恐れ、妬《ねた》み、ときには追従《ついしょう》笑いもする。

漁師は仲間を信じ、互いに助け合いながら、海を畏《おそ》れ、そして海に感謝した。

「父上のしたことを、ひとは恥ずべき行いだと言う。だが雪乃、薬代のためにおのれを捨てた父上を、おれは誇りに思う」

兵庫はきっぱりと言い切った。

「勘定奉行様も佐柄木様も、父上が薬代のために、まいないに手を染めたことはご存知だ。それなのに殿様に沙汰《さた》されるまま、父上に切腹を強いた」

話しているうちに激したのか、兵庫の右手がこぶしになった。

「おれはこんな人達が投げ与えてくる情けになど、すがりたくはない。母上とおまえは、おれが命をかけて守る」

だから漁師になる、と兵庫は話を結んだ。

十七歳の雪乃には、ひとりで受け止めるには余りに話が重過ぎたようだ。

「今夜はここまでに……わたくしにも考えさせてください」

立ち上がった雪乃は、膳を片付け始めた。兵庫は何も言わず、清志郎の居室だった奥の小部屋へ戻った。

翌早朝、兵庫が浜井和から戻ったことを聞きつけた伯父の服部清右衛門《せいえもん》が、せかせかした足取りで組屋敷を訪ねてきた。

清右衛門は清志郎の兄で眉《まゆ》が異様に長く、狐《きつね》のような目をしている。清右衛門が継いでいる服部本家は、徒組《かちぐみ》組頭七十石の家格で、郭中《かくちゅう》の小津《おづ》町にあった。

清志郎切腹の後も、兵庫たちが桜馬場の勘定組組屋敷で暮らせているのは、清右衛門の尽力である。

しかし清右衛門は弟の家族が不憫《ふびん》だからではなく、世間体を繕うために奔走したまでだ。

組屋敷に留《とど》まる談判は、清志郎への同情論もあり、あっさりとまとまっていた。

「ずい分潮焼けしたもんだ。浜井和で何をしておったのだ」

兵庫を見るなり、清右衛門は声を荒《あら》らげた。志乃は容態がすぐれないからと言って姿を見せず、兵庫と雪乃が六畳間で応対した。

「数々のお骨折り、まことにありがたく存じます」

「おまえも、きちんとした口上が言えるようになったの」

清右衛門が笑うと、目がますます狐に似た。

「おまえを勘定組に役目相続させるのには、まことに難儀をしたが……いつ佐柄木様役宅に顔見せをするのだ」

「そのことですが」

兵庫が座り直した。

「わたしは漁師になります」

一度では清右衛門に伝わらなかった。二度同じ言葉を兵庫から聞き、清右衛門の長い眉がぴくぴくと動いた。

「この、うつけ者めが」

歳《とし》とも思えない清右衛門の怒声が、六畳間に響いた。

「そんな勝手なことをほざいて、清志郎にはどんな詫《わ》びを言うつもりだ。それより何より、佐柄木様との談判を続けてきた、わしの面子《メンツ》をどうしてくれるぞ」

兵庫は黙したまま清右衛門を見詰めた。

清右衛門は雪乃に目を移した。

「おまえも兵庫には言いたいことがあろう。構わん、好きに言え」

手を膝《ひざ》で重ねた雪乃が、背筋を伸ばした。

「わたくしは、お兄さまがなさりたいようになされればいいと思います」

雪乃は横の兵庫に微笑《ほほえ》みかけた。

「なんという兄妹だ。商人からまいないをとる男の、しつけの正体を見たぞ」

顔を真っ赤にして清右衛門が立ち上がった。

「佐柄木様への返答は暫時《ざんじ》とどめておくが、次第によってはおまえたちとは絶縁だ」

九月末までに返答をしろと言い残し、清右衛門は畳を踏み鳴らして帰った。

襖《ふすま》一枚の向こうで寝ている志乃には、清右衛門とのやり取りが聞こえていたはずである。が、襖を開けようともしなかった。

「勝手を重ねますが、わたしは浜井和に戻ります」

閉じた襖に向かって兵庫が語りかけた。

「十日のうちには帰ってまいります。なにとぞお許し下さい」

許しを乞《こ》うても、志乃から返事はなかった。

兵庫は妹を外に連れ出し、清右衛門の前で支えてくれたことへの礼を言った。

「りくさんには、雪乃がよろしく申していたとお伝えくださいね」

雪乃の言葉に兵庫は顔を赤らめた。

なかに戻り、手早く身仕度を調えると、浜井和へと足を急がせた。

四

兵庫が浜井和に戻った夕方から、強い風雨が吹き荒れた。すぐにでも弦太一家に相談したいことが幾つもあったが、浦土屋新兵衛に行くことを引き止められた。

「この風は朝にはやむきに、それまで待っちょるほうがええ」

「弦太さんところは、すぐそこじゃないか」

「この風を見たら、浜のもんは山に逃げちゅうきに、行ってもだれもおらん」

兵庫は仕方なく朝を待った。

海から吹きつける暴風が、砂と塩水とを萩《はぎ》にぶつけている。葉の色味が隠されるほどに、吹き飛んでくる砂が多かった。

萩は身体《からだ》をくねらせて、襲いかかってくる砂と雨と塩水とをやり過ごした。どれほど痛めつけようとしても、萩はへこたれない。したたかで、しなやかな相手に嫌気がさしたらしく、風雨は夜半を過ぎたころには浜から過ぎ去った。

新兵衛の言った通り、夜明けには浜井和の空が高くなった。

六ツ（午前六時）を過ぎると、玄蔵も弦太も漁に出る。気のせいた兵庫は、日の出とともに弦太をたずねた。

砂浜に飛び散った漁具を片づけていたりくが、兵庫を見つけた。

「にいちゃん、兵庫さんがもんてきちゅう」

「ほんまや」

弦太の顔がほころんだ。

「えらいはようにもんてきたねや」

弦太と兵庫が互いに駆け寄った。

海が元に戻るのを待って、玄蔵も弦太も漁に出るのを見合わせていた。おはまとりくとが手早く朝の支度をし、みなで膳《ぜん》を囲んだ。

朝飯の場で、兵庫は清右衛門とのやり取りを話した。そして母は反対だが、妹は漁師になることを分かってくれたと伝えた。

「弦太さん、おれを漁師の仲間に入れてください」

兵庫はあたまをさげて頼み込んだ。玄蔵も弦太も、厳しい顔のまま口を開かない。おはまもりくも、黙ったままである。

喜んで受け入れてもらえると思い込んでいた兵庫は、弦太たちの様子に戸惑った。

「海をなめたらいかんぜよ」

きつい目をした弦太が、兵庫を見据えてびしりと言った。

「おんしの考えは分かった。武士を捨てるのはおんしが決めることじゃき、好きにせえ。漁師になりたいやったら、なりゃあええ」

息子に任せたのか、玄蔵は黙ったままだ。

「気に障《さわ》ったのは、十日で家にもんてくると、おんしのおかあに言うてきたことよ。そんなにやすやすと、海に迎えてもらえんぜよ」

弦太の話していることに、りくの母親が何度もうなずいた。

「海をなめたら、おんしだけやなしに、おんしを連れて海に出たもんが、みんな死ぬ。そんなやつを仲間にはできん」

兵庫は身の置き場がないほどに、おのれを恥じた。伏せた顔が上げられなかった。

「弦太のいうたことは、おまさんもよう分かったじゃろう」

玄蔵が野太い声で兵庫に話しかけてきた。

「わしらはおまさんが好きじゃ。漁師になって家族の面倒をみるというなら、わしらも肚《はら》をくくる。おまさんも十日で帰るみたいな甘いことを言わんと、とことんやってみいや」

玄蔵の許しが出たことで、弦太とりくとが兵庫の腕を取って外に連れ出した。

「えらいきついことを言うたけんど、本気で漁師をやるんやったら、おかあと妹を食わせるばあは、なんちゃあないぜよ」

弦太が兵庫の背中をどすんと叩《たた》いた。

兵庫は桜馬場に戻る日を、二十日後と決めた。これ以上遅らせると、清右衛門への返答期限に間に合わなくなるからだ。

予定より十日遅れで戻る旨《むね》を書状にして、新兵衛に託した。新兵衛は、兵庫のふところ具合をわきまえている。行商で城下に出向く浜の者に、わずかな手間賃で、手紙を桜馬場まで届けるようにと手配りした。

兵庫は浦土屋から通いで、漁師の基本を覚えることになった。

「わしらと海に出るのは、すぐにはできん。海に慣れるまで、りくを手つどうてみいや」

玄蔵から指図された兵庫は、おはまが櫓《ろ》を漕《こ》ぐ小舟で、海女漁《あまりよう》を手伝い始めた。りくは浜に近い磯場《いそば》で、さざえ、とこぶしなどの貝や珊瑚《さんご》を獲《と》った。それともうひとつ、りくだけが知っている岩場で、伊勢えびを手摑《てづか》みした。

兵庫の役目は、舟上からりくの命綱をたぐり、潮に巻き込まれたり流されたりするのを防ぐことである。

海女漁の合間には、おはまが櫓の漕ぎ方と潮流の見方、乗り切り方を兵庫の身体に覚え込ませた。

稽古《けいこ》を始めて数日で、自在に小舟を操る兵庫を見て、玄蔵は心底から感心したようだ。

「おはまが忙しいときは、おまさんとりくとで、漁に出てもかまわんぜよ」

ふたりだけの出漁を認めた。

が、兵庫にはまだ潮を見切ることはできないと判断した玄蔵は、漁場を浜から百尋《ひろ》(約百八十メートル)までに限った。

このなかに漁場は幾らもあったし、たとえ異変が生じても、すぐに助けが出せると考えてのことである。

ふたりの息遣いは見事に合っており、りくの水揚げが大きく伸びた。

五

兵庫が海に出始めてから十五日目は、空が高く晴れわたった。

前日、早めに漁を終えた弦太は、新しい釣り竿《ざお》を何本か誂《あつら》えるため、裏山の竹藪《たけやぶ》から細竹を伐《き》ってきた。

「ええ竿ができた。この辺の磯やったら餌《えさ》はいらん。りくが潜っちゅうときに、ためしてみいや」

次の朝弦太から真新しい竿をもらい受け、りくと二人で磯場に出た。雲ひとつない高い空から、夏が戻ったような陽が照りつけている。兵庫は下帯一枚で、りくの綱を気にしながら釣り糸を垂れていた。

この日はことのほか獲物に恵まれ、舟端に吊《つ》るした獲物入れの小網は、貝と伊勢えびとで膨れていた。海は澄んでおり、獲物を求めて岩場を泳ぐりくが舟から見えた。自在に泳ぎ回るりくに兵庫は見とれた。

舟の真下の岩陰で、大きな伊勢えびを手にしたりくが、水面に戻ってきた。

「めしにしよう」

うなずいたりくは、海老《えび》を小網に納めて艫《とも》のほうから舟に戻った。

りくの姿に兵庫は息を吞《の》んだ。

身体に張りついた木綿の海女着《あまぎ》越しに、豊かな胸が波打っている。いままで毎日のように見ていたりくが、強い陽のなかでは、まるで異なって見えた。

兵庫の目に気づいたりくが笑いかけた。

下帯一枚の若者と、乳首まで透けて見える海女着の娘とが、焦《こ》げつくような目差《まなざし》を絡《から》ませ合った。

凪《なぎ》の海は静かだ。小舟を囲む海面が、強い陽を照り返らせている。

兵庫が大きな吐息を漏らした。飛び去ったかもめに目を移して、張りつめた気を抜いた。

昼飯は話が途絶え気味だった。言葉の不足を、互いの目が補い合った。

りくに結わえた細い綱を通して、二人は命と心を預け合ってきた。その思いが、強い陽のなかで一気に交わり合っていた。

兵庫はためらうことなく、想《おも》いに充《み》ちた目を向けた。りくも受け止めた。

「おまえを嫁にしたい」

りくは言葉に代えて、兵庫を見る目で確かな返事をした。りくの海女着がすっかり乾いていた。

「あとひと潜りしたら、浜に戻ろう」

「分かった。うちも気を入れて潜るきに」

りくの指図で磯場を変えた。

りくが見つけた新しい漁場は、岩が盛り上がっていた。舟から手を伸ばせば届きそうなところに、深く抉《えぐ》れた岩の割れ目が幾つも見えた。

あわびやさざえが、割れ目の周りに群れていた。

「この深さやったら、命綱はいらん。舟からうちを見よってね」

見つけた岩場の豊かさに、りくは気を高ぶらせた。大きく息を吸い、まっすぐ岩場に向けて潜り始めた。

兵庫は竿を置き、錨《いかり》を投じてりくの漁を見守った。

岩の周りは激しい潮が流れていた。

兵庫には、まだ海中の潮を見定める目ができていない。りくは岩の割れ目で、強い潮流に苦戦していた。

それは一瞬にして起きた。

突き飛ばすような強い潮が、りくの身体をまともに岩へと押しつけた。

りくは身をかわそうとして岩を蹴《け》った。

右足が割れ目に嵌《はま》った。

りくは慌《あわ》てなかった。

海中で慌てれば、死につながると知っていた。手を添えて右足をこじり、引き抜こうとした。

しかし岩を蹴ろうとして嵌った右足は、どう動かしても抜けなかった。息が切れる前に兵庫に知らせようとして手を伸ばすと、舟端がつかめた。

兵庫も、りくに生じた異変を見ていた。

舟端をつかむりくの手を強く握り返したが、水面から三寸（約九センチ）下で苦しむりくに、何もしてやれない。

りくの顔が歪《ゆが》んできた。息が切れそうなのだ。手を伸ばせば、りくの顔に触れることができる。海面までのわずかな海の厚みが、りくに襲いかかっていた。

兵庫は助けになるものを求めて、舟を見回した。弦太からもらった竿が目に入った。

「竿を叩《たた》き切って、息の吸える筒を作る」

兵庫の声が届いたらしく、舟端をつかんだりくの手が応じた。

舟には昆布《こんぶ》や珊瑚《さんご》を剝《はが》す鉈《なた》が積んであった。竿を手にすると、節の長さが適した箇所に鉈を振りおろした。

辻《つじ》道場で修練を重ねた兵庫は、見事に節の両端を切り落とした。

舟端をつかんだりくの右手に、竹筒を握らせた。音を立てて海中に取り込まれた竹筒は、すぐに先端が海面に戻り、筒先から勢いよく海水を吹き出した。

これでりくの息が続く……。

安堵《あんど》した兵庫は、浜に向かって助けを求めた。しかし早朝から漁場に出た漁師たちが戻るには、ときが早過ぎた。間のわるいことに昼飯どきで、浜にはひとが出ていない。

海中から突き出された竹筒が、ふうっ、ふうっと確かな間合いで、りくの息を吐き出している。

海水を手桶《ておけ》ですくい取れば、りくの顔があらわれる……。

そう思いたくなるほど浅いところに、りくがいた。間近に見ながら、顔に手を触れながら、救い出せない自分に兵庫は苛立《いらだ》った。

「おれが潜って、おまえの足を抜く……聞こえたか」

りくにも聞こえたようだ。

潮流に慣れていないものが潜るのは、命を粗末にする振舞いである。りくは舟を大きく揺らして止めようとした。

焦《あせ》りの極みにいた兵庫には通じない。りくが止める間もなく、兵庫が飛び込んだ。

息の続かない兵庫は、何度も海面に出て息継ぎをしながら、りくの足を抜こうとした。しかし海中では自由がきかず、割れ目から足を引き抜くことができない。

気の焦りと不慣れな潜りの繰り返しで、兵庫は体力を無駄遣いした。ぐったりとした兵庫は、舟端によりかかってりくを見た。

「もうやめて……」

りくはそれを目で訴えていたはずだ。ところが兵庫は、りくの目の意味を取り違えた。

目一杯に息を吸い込み、またもや割れ目に向かって潜った。そのとき押し寄せた強い潮流に巻き込まれ、脇腹《わきばら》を尖《とが》った岩に叩きつけられた。

りくのすぐそばで、一筋の血がゆらゆらと昇って行く。それを追うようにして、兵庫はもがきながら海面に向かっていた。

脇腹の傷口は、それほど深くはなかった。やっとの思いで舟上に戻ると、浜に向かって叫び声を上げた。

強い陽は、いささかもかげっていない。陽に焼かれながら、しかも傷口の血が止まっていない兵庫は、次第に気が遠のいていた。

おれが潰《つぶ》れたら、りくを殺してしまう……。

何とか気を留めおこうと頑張っていたが、持ちこたえ切れずに、ついには気を失った。

りくは海中から、気を失うときの、もの哀《がな》しげな兵庫の目を見ていた。

兵庫、兵庫……。

りくは心のなかで大きな叫び声をあげ、ぎしっ、ぎしっと舟端を揺さぶった。

揺さぶりを止めたら兵庫が死ぬ。

りくは理屈抜きで、そう思い込んだ。

倒れ込むそのときまで、助けを求めて叫んでいた兵庫の声を、りくは海中で聞いていた。

今度はうちが助ける番や。

りくは兵庫の命をつなぎとめようとして、舟を揺らし続けた。

次第に潮が引き、りくの口元が海面に出た。引き潮で舟が下がり、気を失っている兵庫の姿が見えた。

潮が引いて両手が使え始めたりくは、木綿の海女着を脱ぎ、海水に浸して兵庫のあたまにかぶせた。

「死んだらいややき。うちを嫁さんにしてくれる約束、破ったら許さんきに」

兵庫に想いを聞かせてから、助けを求める叫び声をあげた。

玄蔵と弦太が異変を察して助けにきたのは、兵庫が倒れて半刻《はんとき》（一時間）を過ぎてのことだった。

死に物狂いで櫓《ろ》を漕《こ》いだ弦太が辿《たど》り着いたとき、りくは兵庫のあたまに何度も何度も海水をかけていた。

六

涼しい風が通る浦土屋の二階で、兵庫が軽い寝息を立てていた。

「これぱあなら医者はいらん。膏薬《こうやく》を貼《は》っちょいたら、ひと晩で治る」

傷口を見た新兵衛が請合った。

「血をだいぶになくしちゅうが、まむしの血を焼酎《しょうちゅう》に混ぜて二杯も飲ましゃあ、朝までにはしゃんとする」

木賃宿のあるじは療法に長《た》けている。それを分かっている玄蔵たちは、新兵衛に兵庫をまかせて引きあげた。

「おとうちゃん、兵庫さんは?」

玄蔵の顔を見るなり、横になっていたりくが、身を起こして問いかけてきた。

「新兵衛が、明日の朝にはしゃんとすると請けおうた。おまえの具合はどんなもんぜよ」

「足がちょっと痛いけんど、あとはなんちゃあない」

りくは大事をとって、家の板の間で横になっていた。しかし夕暮れ前には、いつものりくに戻っていた。

「もう身体《からだ》は何ともないきに、兵庫さんのそばに行かせてもろうてもええやろか」

りくの目が、行かせて欲しいと頼み込んでいた。

「ええやろ、行ってこい」

「おとうちゃん……」

「なんじゃ。まだなんかあるがかよ」

「うち、兵庫さんの嫁さんになりたい」

玄蔵は返事に詰まった。

「まあ待てえや。そんな大事な話は、兵庫がもとに戻ってからのことよ」

弦太が父親に代わって答えた。

りくが浦土屋へと駆け出した。

宿に駆けつけると、夕日を背に受けながら新兵衛が萩《はぎ》に打ち水をしていた。まだ色づいてはいない葉を、沈み行く夕日があかね色に染めている。

兵庫を案じながらも、りくは萩に見とれた。

「兵庫は二階で寝ちゅうきに。はようそばに行っちゃれや」

新兵衛の顔も、萩と同じ色味に見えた。


玄蔵、おはま、弦太の三人が、陽の落ちた板の間で向き合った。

「兵庫やったら、おれはええよ」

弦太が最初に口を開いた。

「りくも兵庫もお互いに好きおうちゅうきに、所帯を持ちたいゆうなら許してやろや」

玄蔵には異存がなさそうだったが、おはまは心配ごとがあるようだった。

「兵庫さんは、どうやって漁師をやるつもりやろうか。城下からここに、ほんまに移り住むことができるがやろうかねえ」

おはまの不安に、男ふたりは答えられなかった。

浦土屋の二階に駆け上ったりくは、兵庫の寝顔に見入っていた。

宿の若い者にまむしを捕まえさせた新兵衛は、生血《いきち》を焼酎に混ぜて兵庫に飲ませた。

「おまさんもくたびれちゅうきに、無理せんと眠りや」

兵庫のわきに、新兵衛が自分の手でりくの布団《ふとん》を敷いた。

「兵庫さんは、朝には元気になるよねえ」

「これはあのことでどうこうなるような男やったら、おまさんの亭主はつとまらんぜよ」

顔を赤らめたりくに笑いかけてから、新兵衛は二階座敷から出て行った。

兵庫はひと晩ぐっすり眠っただけで、翌朝には元気が戻った。

「りく……おい、りく……」

わきの布団で眠っているりくを見て、兵庫が飛び起きた。りくが目覚めるまえに、新兵衛が箱膳《はこぜん》を持って上がってきた。

「身体の具合はなんともないかや」

「はい、ありがとうございい……」

新兵衛が運んできた箱膳を見て、兵庫は言葉を呑《の》み込んだ。

膳には串刺《くしざ》しにされたあたまのないまむしが三匹と、どろりとした汁の入った椀《わん》がひとつ載っていたからだ。

「薬やとおもうて、これを食うてみい。昼過ぎにはしゃきっとしちゅうきに」

兵庫は返事ができなかった。

「りくちゃんはおまさんを心配して、昨日はえらい遅うまで起きちょった。りくちゃんのためにも、食わんといかん」

強い言葉で勧められたが、どうしても兵庫は手が出せなかった。

「このままやと、形がわるいかのう」

まむしの皿を手にしておりた新兵衛は、しばらくあとでどんぶりを持って上がってきた。

「まむしを砕いて飯に混ぜた。これやったら食えるやろう」

炊《た》き立てのどんぶり飯だった。艶《つや》のあるめしが、昨日の昼から何も口にしていない兵庫の食欲を煽《あお》り立てた。

まむしが混ぜられているのは分かっていたが、空腹感が箸《はし》をつけさせた。小骨が舌にざらついても、いやな味ではなかった。

「新兵衛さん、めしがうまい」

「そりゃそうよ。山の村の新米やきに、まずいわけがないろうよ」

どんぶりをあらかた平らげたとき、玄蔵たち三人が顔を出した。

「弦太さん、心配かけました」

「元気が戻ってよかったぜよ」

弦太の声が心底から嬉《うれ》しそうだった。

「りくを起こしたら、ちくと話をしたいが、この部屋を使こうてかまわんか」

玄蔵に問われて、新兵衛は大きくうなずいて見せた。

そのとき、りくが目覚めた。

「目覚ましの茶をやるきに、下にこいや」

やっと目覚めたりくに声をかけると、新兵衛は箱膳を持っておりて行った。

「顔を洗って、しゃんとしてこい。おとうから大事な話があるきに」

りくは兵庫を横目で見てから、顔を洗いに部屋を出た。

兵庫は宿が洗ってくれた絣《かすり》を身につけると、部屋の布団を片づけた。りくの夜具は、おはまがすでに畳んでいた。

顔を洗ったりくが戻ると、窓を背にして玄蔵、弦太、おはまが座った。向かい合うようにして、兵庫とりくとが並んでいた。

「昨日は、りくさんを死にそうな目に遭わせてしまいました。申しわけありません」

畳にくっつくほどに、あたまを下げた。

「あれはおまさんがわるいわけやないし、話というのは、きのうのことをとやかく言いたいのとも違う」

玄蔵はいつも通りの野太い声だった。

玄蔵たちは三人とも、木綿ものではあるが、きちんと身なりを調えていた。

「りくがおまさんの看病をしたいというのを、わしは許した。この娘が家《こ》を空けて外で泊まったのは、ゆんべが初めてじゃ。どうしても行きたいという気持ちが伝わってきたきに、許したようなもんよ」

玄蔵の言ったことの重さを、兵庫は身体で受け止めた。

「おまさんがこれからどうしたいか、わしらに聞かせてくれ」

りくが兵庫を見ていた。その目に自分の目を絡《から》ませてから、兵庫は口を開いた。

「わたしは武士を捨てましたが、漁師としても半人前です。しかもわたしには病身の母と、まだ嫁いでいない十七の妹がいます」

兵庫の声には力がみなぎっている。りくは潤《うる》んだ目で、兵庫を見続けていた。

「養ってゆくのは大変ですが、わたしはりくさんと添い遂げたいのです。どうかお許しください」

兵庫は玄蔵を真正面から見て、つかえることなく一気に言った。

「おまえはどうしたいがぜよ」

「うちは兵庫さんの嫁さんになる」

父親の問いに、りくは迷いなく言い切った。

「兵庫さん……お母さんやら親戚《しんせき》やらは、ちゃんと喜んでくれるやろか」

おはまの問いに、兵庫は返事を詰まらせた。

「兵庫さんには何の不足もないけんど、りくをあんまりつらい目に遭わせとうないきに」

「うちは平気、平気」

おはまの心配を、りくは明るい声で打ち消した。それでもおはまは、まだ案じ顔を消せないでいる。

「昨日、気を失って眠ったときに見た夢を、はっきりと覚えています」

いきなり別の話を始めた兵庫に、りくまでもが驚いていた。

「りくさんとふたりで、城下で魚屋を始めた夢でした」

兵庫は弦太と向き合っていた。

「おれは弦太さんたちが獲《と》った魚や干物を、町で売りたい。商人になるのも大変だろうが、りくさんとならやれる。半人前の若造の思いつきだと笑わずに、どうか考えてください。お願いします」

兵庫は両手を畳について頼み込んだ。

「漁師には向いていませんが、魚屋はわたしの身の丈に合っています」

「ええ考えや。りくがついちょったら、魚屋はやれるぜよ」

「うちもやる」

兵庫の思案を、弦太とりくが勢い込んで支えていた。

「組屋敷を出ることや、魚屋を開く空き家を探したりと、やることは多く残っています。わたしの母や親戚筋とも、話をつけねばなりません。考えれば考えるほど、りくさんには苦労をさせることになりますが、わたしはやり通します」

兵庫はこれだけのことを一気に話した。

玄蔵もおはまも、閉ざした口を開かない。兵庫は思いを込めて玄蔵を見詰めた。

小さな息を吐いてから、玄蔵が兵庫の目を捉《とら》えた。

「無遠慮なことを聞くけんど、おまさんの家に蓄えはあるかね」

いきなりの質問に兵庫はたじろいだ。

「魚屋を始めるにも、祝言《しゅうげん》を挙げるにもカネがいる。うちは貧乏漁師じゃき大してカネもないが……うるさいことを言わんと、両方が持ち寄りということで、おまさんが服部を収めてくれんかのう」

玄蔵が話を受け入れていた。

ひと通りの話合いを終えた玄蔵は、新兵衛に、簡単な祝膳を調えてもらった。

初秋の陽が傾き始め、七ツ（午後四時）の鐘が五台山竹林寺《ごだいさんちくりんじ》から流れてきた。

「わたしは桜馬場に帰ります。婚礼の日取りと空き家探しを数日のうちに片付けて、すぐに帰ってまいります」

桜馬場に戻って行く兵庫を、りくが青柳橋まで送ってきた。

長さ二百二十間（約四百メートル）の真っすぐな橋の向こうに、一面の田が広がっている。桜馬場へは、この田を左に見ながらの一本道である。西日を受けて、黄金色の稲穂が輝いていた。

「はようにもんてきて」

りくに力強くうなずいた兵庫は、青柳橋を渡り始めた。軽やかな足取りに、兵庫の喜びが表れている。

兵庫の姿が稲穂のなかに溶け込んで見えなくなるまで、りくは橋の手前で見送り続けていた。

七

南国土佐も十月下旬ともなると、さすがに秋が深まってきた。

兵庫が城南の菜園場《さえんば》で魚屋を始めて、二十日が過ぎた。

武士を捨てて組屋敷を出たことは、兵庫が覚悟した数倍の波風を方々で立てた。

母親の志乃は、魚屋の六畳間で寝起きしていた。兵庫夫婦や雪乃とともに暮らしてはいるが、組屋敷を出て以来、兵庫とはひとことも口をきいていない。

祝言《しゅうげん》は、兵庫、りくのどちらの家も狭くて祝膳《いわいぜん》が調えられないということで、浦土屋で挙げた。

りくの側は両親、兄をはじめ、隣の浜に住む遠縁や仲間の漁師など、三十人を超える祝い客が押しかけた。

兵庫の側は雪乃ひとりだ。

兵庫と雪乃がどれほど頼んでも、志乃は絶対に出ませぬと、にべもなかった。しかも志乃本人が出ないだけでなく、実家筋の親類にも、兵庫の婚礼を伝えることを固く禁じた。

服部の親戚《しんせき》は本家の伯父清右衛門が、兵庫が武士を捨てたことで激怒し、絶縁を伝えてきた。

兄の幸せを願う雪乃は、漁師のひとりひとりに、ていねいにあいさつをして回った。

「こりゃあ、まっこと別ぴんさんじゃ」

「こんな娘さんが弦太の嫁になってくれたら、玄蔵さんも万々歳やにのう」

漁師の遠慮のない口に、雪乃はいやな顔も見せず、話にも加わった。

りくの両親《ふたおや》は、兵庫の側からは雪乃ひとりしかこないことは覚悟していた。その雪乃が懸命にりく側の客をもてなしている姿を見て、雪乃が一緒に暮らすなら、娘は幸せになれると安堵《あんど》した。

兵庫たちが魚屋を始めた菜園場の借家は、玄蔵と新兵衛のつてで借りたものだった。

兵庫が武士を捨てて組屋敷を出たことで、佐柄木敏正は怒りをたぎらせた。清志郎切腹以来、下士《かし》や同僚から佐柄木は強い風当たりを受けていた。それをかわしたい佐柄木は、兵庫さえ望めば役目相続にも骨を折ると清右衛門に伝えた。

一方では息子の隼人を煽《あお》り立てて、兵庫との木刀試合を画策した。兵庫を叩《たた》きのめして、服部の者は役に立たないとの風評を流させた。兵庫が役目相続をしてもしなくても、どちらでもいけるように策を講じたのだ。

兵庫が浜井和へ逃げたことで、こちらの方は図に当たった。しかしときの経過とともに、木刀試合も佐柄木の策であったことがうわさになり、さらに信望を失った。

佐柄木が人心を掌握するために残された手段はただひとつ、兵庫を清志郎の跡目として遇することであった。

兵庫が早く役目相続をするように、清右衛門の尻《しり》を叩いた。ところが兵庫は、武士を捨てて、あろうことか魚屋を始めるという。

「佐柄木に尻尾《しっぽ》を振らんとは、近ごろ見あげた若者よ」

藩士が陰で囃《はや》し立てた。

怒りに身悶《みもだ》えた佐柄木は、城下の有力な商人を集めて、兵庫に家を貸すなと脅した。藩との商いが大事な商人には、佐柄木の言葉は絶対である。商人たちは町名主に手を回し、兵庫が空き家を借りられない状況を作りあげた。

佐柄木の画策を知らない兵庫は、方々で断わられ続けた。

城下をゆったりと流れる鏡川そばの掛川町では、成立寸前までこぎ着けた話が、いきなり流れた。

「なぜ貸してもらえないのですか。昨夜は貸してもいいと言われて、借り賃まで決めたじゃないですか」

「そう言うても、おまさん、身請人がおらんやろうに。ちゃんとした身請人がふたり以上立てられん者には、貸したらいかんというのが決まりや。昨日はおまさんに身請人がおらんということを知らざった」

城勤めをしている限り、住居の心配は無用であった。ゆえに借家の掛合いはやったことがなかった。

身請人を問われるなどとは、兵庫は考えもしなかったのだ。

桜馬場の組屋敷を出る期限を翌々日に控えた兵庫は、重い足で浜井和の玄蔵を訪ねた。

「ものの仕組みをわきまえていなかった、わたしが愚かでした。なにとぞ力を貸してください」

兵庫が正直に打ち明けた窮状を知って、玄蔵は浦土屋新兵衛に相談した。

新兵衛は玄蔵と兵庫を連れて、菜園場の豆腐屋に婿《むこ》入りしていた弟、新介を訪ねた。

新兵衛は新介に事情をすべて打ち明け、魚屋のできる貸家がないものかと談判した。

幸いなことに豆腐屋の二軒先が、半年前から借り手がつかずに空いていた。

「家主が因業《いんごう》で、店子《たなこ》が居つかん。半年も空き家のままやき、いまなら家賃にちょっと色をつけたら、うるさいこと言わんと貸すかも知れん」

新介の読みは的中した。

新兵衛が浦土屋の名前で身請保証をし、さらに玄蔵も身請人に名を連ねるということで、家主の承諾を取りつけた。

こうして兵庫と志乃、雪乃の三人が組屋敷を出て菜園場に移り住んだ。

りくは、浦土屋で祝言を終えたその日の夜に、下浜村から菜園場に嫁入りした。

翌朝、兵庫はりくを連れて近所一帯に、魚屋開業のあいさつをして回り、午後からの商いに備えた。

店で扱う魚介や干物は、弦太が毎日浜井和から宝永町まで運び、そこで兵庫が引き取って菜園場まで持ち帰ってきた。

漁師がその日に獲《と》った魚介ゆえ、品も鮮度も確かである。それらをりくが客に勧めた。しかも頼まれれば、包丁を手にして見事に魚をさばいて見せた。

兵庫は慣れない商いに戸惑いながらも、りくをもり立てた。

店を開いて二十日。

商いは順調だが、志乃との折り合いには、みなが苦労していた。

家事のすべてを雪乃が担《にな》っていた。組屋敷の暮らしでも、雪乃は同じことをしていた。

「りくは店に専念したほうがいい」

家のことは兵庫も雪乃を頼りにしていた。

志乃にはこれが不満だった。

「まだ嫁入り前のおまえが、なぜそこまでさせられるのですか」

兵庫とまったく口をきかない分だけ、志乃は雪乃に愚痴と不満を言い募った。

「そんなことを言うと、ばちが当たりますよ。りくさんは心底からお母さまやわたくしに心を砕いてくださっています。いま、こうして暮らしていられるのも、りくさんのお里が力を貸してくださっているからだと、お母さまもお分かりでしょう」

「それが情けないのです。これでは切腹なされた清志郎様に、申しわけが立ちません」

雪乃がどう説得しても、志乃は兵庫とりくとには固く心を閉ざし、りくを嫁とは認めようとしなかった。

「おかあちゃんが、うちのことをきらわんようになる日がくるやろか」

店で元気いっぱいに客の相手をしているりくが、深いところで傷ついている……。

りくが小声で漏らした言葉に、雪乃は気休めが言えず、りくの手を包み込むように握るしかなかった。

りくの手のひらが、魚の商いでざらついている。

手をそこまで荒れさせながら、懸命に働いているりくに、志乃はただのひとことも言葉をかけずに今日まできていた。

「ごめんなさい。もう少しだけ、我慢してくださいね」

ふたりは手を握り、互いの目ににじんだ涙を見詰め合った。

十一月初旬に弦太が鰹《かつお》を持ってきた。

「季節はずれの鰹が大漁になった。たたきにして食えや」

弦太は家族で食べろと言ったが、数が多過ぎた。

りくは手早く鰹を三枚におろし、店先で炭俵を燃やして鰹をあぶった。皮が焦《こ》げる香ばしい煙が、店の周りに漂った。

豆腐屋から新介が、香りにつられて表に出てきた。

「たたきかね。旨《うま》そうやねえ」

新介が大声を出した。

通り向かいの青物屋からも、あるじの善吉が顔を出し、りくがこしらえる浜漁師の料理に見入っていた。

「おんちゃん、鰹のたたきは食べたことがないろう」

「ああ、初めて見た」

鰹をあぶる煙をかいで、善吉が鼻をひくひくさせた。

「にいちゃんが鰹を何本も持ってきたき、みんなで食べよか」

善吉が嬉《うれ》しそうにうなずいた。

「うちの品で欲しいもんがあったら、何でもいいや」

善吉の声が弾んでいる。

「ほんなら、にんにくをちょうだい」

「なんぼでもあるぜよ」

日暮れが早くなった菜園場の道が、酒盛りの場となった。

りくは六本の鰹をすべておろし、大皿二枚に溢《あふ》れるほどのたたきを作った。

浜井和に住んだことのある新介のほかは、たたきを食べるのは初めてである。

「漁師はこんな美味《うま》いもんを食いゆうがかね」

「にんにくの味がたまらんきに」

一向に箸《はし》を置かない人達の姿を見て、兵庫は初めてりくの宿でたたきを食べた日のことを思い出した。

雪乃も志乃も、この日初めてたたきを口にした。

「鰹の季節になったら、ここでたたきを売り出そう。あれだけみんなが喜んで食べたんだから、かならず名物になる」

「うちらは、飽きるほど食べよったき分からんけんど、売れるやろうか」

りくにはめずらしい、心配そうな声だ。

「こんなおいしいものは、わたくしも初めていただきました。お母さまも残さず召し上がったほどですから、きっと評判になります」

りくの黒い目が丸くなった。

「おかあちゃんが食べてくれた……」

襖《ふすま》を閉ざした部屋のなかで、志乃はりくの嬉しがる声を聞いた。

やさしい言葉はもとより、まともに話をしてもいない嫁である。それなのに、志乃が鰹を食べたといって、心底から声を弾ませている。

かたくなに拒んでいるのに、りくの優しさが志乃の胸のうちに入り込んでくる。歯を食いしばって押し出そうとしたが、かなわぬことと志乃は諦《あきら》めたようだ。その顔には、悔しさの色は浮かんでいない。

にじみ出した涙が、高枕《たかまくら》を濡《ぬ》らすにまかせていた。

八

師走《しわす》の慌《あわ》ただしい八ツ（午後二時）過ぎに、清右衛門がいつものようにせかせかと歩いて、菜園場《さえんば》を訪ねてきた。

兵庫は、宝永町に弦太からの魚を受け取りに出ており不在だった。

りくは清右衛門と面識はなかったが、長い眉《まゆ》と狐目《きつねめ》という清右衛門の人相は、兵庫から何度も聞かされていた。

菜園場の魚屋を訪ねてくる武家は、ほとんどいない。というよりも、今日まで皆無であった。

「ひょっとして、清右衛門のおんちゃんやないろうか」

初めて顔を合わせた清右衛門に、りくは親しみをこめて問いかけた。

「無礼者。魚屋の女ごときに、伯父呼ばわりされるいわれはないわ。余計な口をきかず、なかで寝ている志乃に、清右衛門が訪ねてきたと通してまいれ」

清右衛門の余りの剣幕に、りくが呆然《ぼうぜん》となってその場に立ちすくんだ。

「ええい、どんくさい女じゃ。そこをどけ、なかに入る」

りくを手荒に突き飛ばそうとした清右衛門と、声を聞きつけて店先に出ようとした雪乃とが、上《あが》り框《かまち》で目を合わせた。

「おお、雪乃。久しぶりじゃ」

手のひらを返したような伯父の振舞いを見て、雪乃は黙ったまま清右衛門を招き上げた。

清右衛門は、雪乃の目の色にはまるで無頓着《むとんちゃく》だった。履物を脱ぎ散らかして、雪乃について志乃の部屋に向かった。

「お久しゅうございます。ご本家の方はお変わりございませぬか」

志乃は敷きのべた床の上に身を起こし、清右衛門にあいさつをした。

「そなた、一段とやつれたのう」

病人を気遣うでもなく、清右衛門はいやな言葉を平然と口にした。

「お見苦しい姿で申しわけございませぬ」

志乃は精一杯の気力で応じた。

志乃はこのところ、病状が悪化していた。胃の腫《は》れがひどくなり、痛みに苦しむ回数が増えている。

「病人じゃ、見苦しくとも仕方あるまい」

清右衛門の物言いには、相変わらず気遣いが欠けていた。

「それにしても、この家は生臭い。そなた、ようもこんな家に住んでおるな」

容赦のない言葉が次々と吐き出された。

「おもてにいたのが兵庫の嫁か」

「……」

「そなたは兵庫の嫁とは認めておらんそうじゃの。それが道理ぞ。まったく兵庫のやつは、何を考えておるのかの」

清右衛門は、どこからか志乃がりくを嫁と認めていないことを聞きつけていた。りくを悪《あ》しざまに言うことで志乃を味方に引き入れようとしているのか、清右衛門は口を極めてりくをののしった。

「それで、本日のご用向きは」

清右衛門の言葉が途切れたところで、志乃が乾いた声で問いかけた。

「勘定方組頭の佐柄木様が、ありがたいことに兵庫を気にかけてくださっておる。いまからでも構わぬから、役目相続を果たして勘定方に戻ってこいとのお言葉だ」

清右衛門が喋《しゃべ》るたびに、狐目が動き、長い眉が揺れる。

志乃は清右衛門を見ないように、伏し目のままで話を聞いていた。

「しかもだ、志乃……佐柄木様は、兵庫に縁談まで用意してくださっておる。家柄は五十石の厩《うまや》組だが、清志郎に比べればずっと実入りが多い」

実入りが多いのところに、力がこめられた。

「先方は婿《むこ》に欲しいとのことだが、そなたの面倒は見てもいいと言っておるらしい。高い薬代も承知とのことだ、これ以上の話はあるまい」

「うっ……」

突然襲ってきた痛みをこらえ切れず、志乃が床の上で苦痛の声を漏らした。

「どうした、痛むか」

「何でもありませぬ」

志乃が身体《からだ》を元に戻した。

「少しばかり、痛みがきつかっただけですから」

「いま少しでわしの話も終わる。我慢できるかの」

「どうぞお続けください」

「佐柄木様も清志郎の切腹については深く心を痛めておられる。清志郎があのような恥ずべき行いに至った理由も、すべてお分かりのようだ。今回の兵庫の縁談も、そなたの身を案ずればこそのお心遣いだぞ」

また清右衛門の眉が、激しく揺れ出した。

「漁師の娘なぞ、とっとと離縁しろ。そうすれば、こんな魚臭い家を出て、また組屋敷の暮らしに戻れる。雪乃にも、良縁が舞い込むかもしれんぞ」

志乃は耳を塞《ふさ》ぎたくなった。

兵庫は薬が切れると、なんとか薬代を捻出《ねんしゅつ》して購入してくるが、途方もなく高価だ。兵庫もりくも、志乃の薬代を稼ぎ出すために働いているようなものだった。

志乃はそれを知っているだけに、我慢できる限り、薬の服用を控えていた。依怙地《いこじ》になって兵庫とは口をきいていないが、薬代に苦慮している兵庫と、兵庫を支えて心から志乃を案じているりくに、心の底では感謝をしていた。

「ご本家では、当方とは絶縁されたのではありませぬか」

「ま、あれは世間に対してのことだ。絶縁など、そなたも望むまいが」

「わたくしはそれで結構でございます。以後、一切お構いくださいますな」

「なに……」

思いがけない志乃の言葉に、清右衛門が気色《けしき》ばんだ。志乃はいま、清右衛門の狐目をしっかりと見据えていた。

「りくは服部の大切な嫁です。すでに嫁をもらった兵庫に、縁談を持ち込む清右衛門殿の了見が知れませぬ」

凛《りん》とした物言いは、まさしく武家ならではのものだった。

「佐柄木様にも、この先は一切お構いくださりませぬよう、くれぐれも清右衛門殿からお伝えくださりませ」

志乃に見詰められて、清右衛門がうろたえた。

「雪乃……雪乃」

間をおかずに、雪乃が部屋の襖《ふすま》を開けた。

「清右衛門殿がお帰りです」

これだけ言うと、志乃は断りも言わずに横になった。

「揃《そろ》いも揃って、うつけ者ばかりだ」

清右衛門はなんとか体面を取り繕おうとして、わざと大声を発した。志乃は取り合わずに横になったままだ。

「二度と再び、服部本家の門をくぐれると思うなよ」

声を震わせながら言い放った清右衛門は、雪乃の顔も見ずに、来たときよりもせかせかした足取りで菜園場から出て行った。

「雪乃」

「なんでしょう、お母さま」

雪乃が弾んだ声で志乃に答えた。

「清めの塩を、存分におまきなさい」

「分かりました」

雪乃の顔に、心底からの笑いが見えた。

りくと連れだって店の外に出た雪乃は、ざるに盛った粗塩を撒《ま》き散らした。

いつもの雪乃には見られない、乱暴な手つきだった。

この日を境に、急激に志乃の病状が悪化した。

志乃が清右衛門を追い返してから四日後の夕刻。

志乃は兵庫、りく、雪乃の三人を枕元《まくらもと》に呼び集めた。

「昨日から何度も、清志郎様がわたしを迎えにきています。今日がそなたたちとの、お別れとなるはずです」

志乃は、穏やかな口調で話し始めた。

目はりくに合わされていた。

「そなたにはつらい思いをさせましたが、詫《わ》びを伝えることは間に合いました。手を、わたしの手を握って……」

りくが志乃の細い手をしっかりとつかんだ。

「兵庫の父親は、わたしの薬代を工面しようとして命を奪われました。そのことを考えたとき、わたしは兵庫が武士を捨てることを許すことはできませんでした」

志乃の呼吸が次第に弱くなっている。しかしりくに話している口調は、変わらず穏やかであった。

「父親の無念を晴らすには、兵庫が父親以上の働きを示して、みなの鼻をあかすことだと思い続けてきましたから。でも、それも清右衛門殿がここに来た日までのことです」

志乃はりくから兵庫に目を移した。

「りくさんと力を合わせて、幸せで新しい服部の家をお作りなさい。父上もわたしも、おまえたちを見ています」

志乃の息遣いがいまにも消えそうだった。そんななかで、志乃はりくに手を差し出した。

「りくさん……なにとぞ雪乃の力になってくださいね」

志乃は、尽きかけた気力を集めて、兵庫とりくとを順に見た。

そして、雪乃を見た。

「そなたが嫁ぐのに、先様の家柄などを思いわずろうてはなりませぬ。清志郎様もわたしも、そなたの婚礼にはかならず出ます。そなたを大切にしてくださる殿御に、きっと嫁ぐのですよ」

志乃の末期《まつご》の言葉だった。

言い残したあとは、穏やかな笑みを浮かべて、眠るように逝《い》った。


浜井和に、また暑い夏がきた。

浦土屋の二階に、玄蔵一家と兵庫夫婦、雪乃、新兵衛の顔が揃っている。

清志郎と志乃の新盆法要の流れで、みなが浦土屋に集っていた。

りくはもう、臨月が近そうである。

「おんしの腹の出具合は、どう見ても双子にかわらんぞ」

弦太の軽口に、りくと一緒に雪乃も微笑《ほほえ》み返していた。

「ところで雪乃ちゃん、おんしはほんまに、りくのお産の間は魚屋を手伝うがかや」

「はい、手伝います」

雪乃が弦太の目を見て答えた。

「いまも毎日、りくさんから包丁の使い方と、魚の見方を教わっていますから」
みなの笑い声を背にして、兵庫は座を立つと、二階の窓辺に手をかけた。
夏の陽光に照り輝く浦戸湾が見える。
浦土屋の周りには、萩《はぎ》の群れがある。紅紫色の花がぽつん、ぽつんと咲いていた。
あの花が咲き乱れるころには、新しい命が授かっているかもしれない……。
秋のおとずれが待ち遠しかった。
座敷でまた笑い声が弾《はじ》けた。
それに合わせるように、浜風が吹いてきた。
弦太と雪乃の笑い声が重なり合っている。
萩が揺れていた。
浜風のせいなのか、雪乃の笑い声で揺れているのか。

そこに、すいかずら

一

一月二十日に大寒入りした節気は、二月三日の節分翌日から、新しい節を迎える。

正徳《しょうとく》五（一七一五）年二月四日の江戸は、立春そのものの穏やかな晴天で明けた。

日本橋 楓川《かえでがわ》河岸の梅が、朝日のぬくもりを浴びて、つぼみを膨らませ始めた四ツ（午前十時）どき。海賊橋たもとの船着場に、三台の荷車が横付けされた。

荷車というには、拵《こしら》えが立派だった。

荷台には、樫板《かしいた》で囲いがされていた。厚み一寸、高さ二尺の分厚い板は、漆が重ね塗りされており、陽を浴びて照り返るさまは、文字通りの漆黒である。

板の四面それぞれの真ん中には、『丸に抱茗荷《だきみようが》』の金紋が描かれていた。

車力《しゃりき》は梶棒《かじぼう》にひとりと、後押しにひとり。さらに両側には守りがついている。一台の荷車に車力が四人。都合十二人が、揃《そろ》いの股引半纏《ももひきばんてん》姿で車を引いていた。

楓川はすぐ先で、江戸城からの大きな堀川と交わる。堀を東に流れれば、霊巌島《れいがんじま》新堀を経て大川にぶつかる。その水の便のよさが好まれて、楓川河岸には廻漕《かいそう》問屋と雑穀問屋が集まっていた。

問屋には老舗《しにせ》大店《おおだな》の番頭や手代が、日々掛合いに集まってくる。ときには問屋の寄合に、大店のあるじが顔を出すこともあった。

問屋だけの寄合なら会所ですむが、得意客を招いての宴席には、見栄《みば》えのする酒肴《しゅこう》が入り用だ。それを受けたのか、貞享《じょうきょう》三（一六八六）年二月、河岸に近い日本橋音羽町に『常盤屋《ときわや》』という屋号の料亭が開業した。

屋号通り、庭には武蔵野の在から運んできた十本の老松が植えられた。が、常盤屋の紋は松ではなく抱茗荷だった。

豪勢な拵えの荷車は、常盤屋の荷を運んでいた。河岸まで半町も離れていないのに、船着場に着いたときには、三台の車を取り囲むようにしてひとが群れをなしていた。町の派手さで知られる日本橋界隈《かいわい》といえども、漆塗りの樫板囲いの荷車は、見かけたことがなかったからだろう。

車も大層な拵えだが、車力の身なりも半端《はんぱ》なものではなかった。

半纏は黒羽二重の別誂《べつあつら》えで、背中には常盤屋の紋が白く染め抜かれている。股引は厚手の紺木綿だが、わらじの紐《ひも》は茶色の鹿皮《しかがわ》だ。

遠目にも作りの良さが分かったらしく、見物に集まった連中が、車力の身なりを指差していた。

「丸に抱茗荷てえのは、どこのお大尽《だいじん》なんでえ」

「おれの見当が違ってなきゃあ、蔵前《くらまえ》の札差か、木場の材木屋てえところじゃねえか」

「ふざけんねえ。そんな見当なら、だれだって口にできるさ」

職人風の男ふたりのやり取りに、見物人たちがぷっと噴いたとき。

荷車の前に、一挺《ちょう》の宝泉寺《ほうせんじ》駕籠《かご》が着けられた。駕籠舁《か》きの着ている半纏は、日本橋室町の駕籠宿、富田屋のものである。屋根つきの宝泉寺駕籠と富田屋の半纏を見て、見物人がまたどよめいた。駕籠は町駕籠の最上のもので、しかも富田屋を使えるとなれば、ごく限られた大店のあるじぐらいだ。群れになった連中の目が、駕籠に集まった。

駕籠舁きが、ひざまずいて戸を開いた。出てきた客を見て、ざわざわと騒いでいた見物人が静まり返った。

白無垢《しろむく》のような振袖《ふりそで》を着た年若い娘が、陽を浴びて駕籠の外に立った。婚礼衣装ではないことは、娘の髪と帯を見ただけで分かった。

髪は二十年ほど昔にはやった、元禄《げんろく》島田だった。髷《まげ》の前に差されるかんざしが決め手となる、ぜいたくな髪型である。

娘は、鼈甲《べっこう》地に抱茗荷紋が透かし彫にされた上物を差していた。かんざし一本で十両。裏店《うらだな》なら、親子四人が二年は暮らせる代物《しろもの》だ。かんざしの飴色《あめいろ》と見事な細工を見て、群れのなかほどからため息が漏れた。

黒地の帯には、金糸で鳳凰《ほうおう》の縫い取りがされている。着物の白と帯の黒とが、いやでもひとの目を惹《ひ》きつけた。

駕籠から出てきたのは、常盤屋のひとり娘秋菜《あきな》である。秋菜の前に、十二人の車力が集まった。

「手筈《てはず》通りに、箱を積み替えてください」

指図を受けた車力たちは、軽くあたまを下げると、すぐさま動いた。

三台の荷車から、板囲いが取り払われた。大小取り混ぜになった、桐《きり》の箱があらわれた。大きな箱は、ひとつで荷台の半分を占めていたが、手のひらに載りそうな箱もあった。

車力ふたりが荷車につき、残りの十人が石段から船着場までの列を作った。十人目の車力の先には、一杯の大きな屋根船が舫《もや》われている。船の障子戸にも、渋い赤で抱茗荷紋が描かれていた。

小さな桐箱から順に、車力が手渡しを始めた。無駄のない機敏な動きだが、あたかも腫《は》れ物にさわるかのように、手つきは気遣いに充《み》ちていた。

六十四個の桐箱が手渡しされたあと、三台の荷車合わせて、十個の大箱が残った。いずれも、ひとりでは持ちきれない大きさだ。船着場と石段にいた車力たちが、荷車のそばに駆け戻ってきた。

ふたりが対をつくり、桐箱を運び始めた。大事に持ってはいるが、重さはさほどでもないらしい。車力たちは腕に力をこめるでもなしに、軽々と箱を運んでいる。

「なにを運んでやがるんでえ」

さきほどの職人のひとりが、相棒に問いかけた。問われた男は思いつきを口にしようとしたが、また笑われると思ったらしく、そのまま黙っていた。

「お人形さんじゃないかしら」

お仕着せ姿の女が、小声でつぶやいた。

「なんでえ、人形てえのは」

「大きな箱に、丸玄田中人形店と箱書きしてあるのが読めましたから」

大店の奥を任されている女中らしく、物言いがていねいである。

「人形が、あんなでけえ桐の箱にへえってるてえのかよ」

職人の口調は、女中の言い分に得心していなかった。

「うちのお嬢様も、同じような箱に入ったお人形をお持ちなもので、口にしたまでです」

心持をわるくしたような顔で言ったあと、女は人込みから離れた。七十四個の箱すべてが運ばれ終わると、ひとが散り始めた。

通りからすっかり人影が退《ひ》いたころ、障子戸を閉じた屋根船が舫いを解いた。三十人は乗れる大型船だが、船の桟敷《さじき》は桐箱で埋まっている。箱に取り囲まれるようにして、秋菜ひとりが座っていた。

大川に出たところで、棹《さお》から櫓《ろ》に変わった。船の走りが滑らかになったとき、船頭が茶を運んできた。春慶塗の茶托《ちゃたく》に、伊万里《いまり》焼の湯呑《ゆの》みが載っている。純白無地の湯呑みには、桜湯が注がれていた。

「これでよろしかったんで？」

船頭が問うたのは、桜湯の按配《あんばい》である。秋菜は口をつける前に、湯呑みを見ただけでうなずいた。船頭は、安堵《あんど》の色を浮かべて出て行った。

ひとりに戻ったところで、秋菜は湯呑みに口をつけた。湯が注がれているのは、秋菜が常盤屋から持参した桜花の塩漬である。

「桜湯は、湯の沸かし加減が命です」

秋菜は五歳から、母親吉野《よしの》に桜湯のいれかたをしつけられた。秋菜五歳の元禄十二（一六九九）年は、常盤屋開業から十三年目である。そのころには、常盤屋には桜花の塩漬が四瓶《かめ》もできていた。

貞享三年二月に、常盤屋は商いを始めた。

その年の春、桜の名所で名高い向島に出向いた初代女将《おかみ》は、供に持たせた籠《かご》を桜花で満たした。それを塩漬にし、翌年春から桜湯にして上客に振舞った。

塩の加減を工夫したことで、女将がいれた桜湯は、湯呑みの真ん中で桜が咲いた。赤穂《あこう》から取り寄せた塩を惜しげもなく使った塩漬の桜花からは、湯を浴びると、ほのかな甘さが漂った。

常盤屋の桜湯は、塩漬にするのも湯を注ぐのも、女将の仕事となった。常盤屋三代目女将となるはずの秋菜は、五歳からしつけられた。

屋根船は、常盤屋が檀家《だんか》総代を務める深川玄信寺《げんしんじ》に向かっていた。船着場で商家の女中が言い当てた通り、箱の中身はひな飾りである。

とは言っても、桐箱七十四箱に分納されたひな飾りには、総檜《そうひのき》の二階家が数軒は建てられるほどの費えがかかっていた。誂えたのは秋菜の父親、常盤屋治左衛門《じざえもん》である。秋菜四歳の元禄十一年に、治左衛門は商いがらみで、三万両という途方もない儲《もう》けを得た。そのカネの一割、三千両を投じて京の人形師に作らせたのが、いま屋根船で運んでいるひな飾りである。

誂えを頼んだのが元禄十一年。

京から招いた人形師が、江戸にとどまって仕上げ終えたのが、元禄十三年。人形師が下職に使った職人の数は、百人を超えた。

飾り付けは十人がかりで三日、仕舞うのは、五人で半月もかかる大仕事である。

飾る段数は四段。段の奥行きは五尺（約百五十一センチ）、高さは四尺六寸（約百四十センチ）で、幅は三間五尺（約六メートル九十センチ）もある。

四段すべてを飾るだけで、およそ二十畳。眺めて遊ぶには、倍の四十畳はいるという、桁違《けたちが》いのひな飾りである。

取りかかり始めに人形師が弾《はじ》き出した見積もりは、千五百両だった。その額でも腰を抜かすような見積もりだが、治左衛門は顔色ひとつ動かさずに呑んだ。

当初見積もりより、仕事期間が大きく延びた。それに連れて、費えも増えた。治左衛門はいかほどカネが嵩《かさ》もうとも、一切文句をつけなかった。

仕上がったときには、三千両にまで膨らんでいた。

「娘が喜べば、それでいい」

秋菜の笑顔を見た治左衛門は、見積もり違いに文句をつけるどころか、かかわった職人全員に、金二両の祝儀《しゅうぎ》を配った。

桜湯を膝元《ひざもと》に戻した秋菜が、障子越しの陽に照らされている桐箱を見た。

屋根船の拵えも、板囲いの荷車も、揃いの半纏を着た車力十二人も、どれもが治左衛門と同じことをしているだけだった。

常盤屋にひな飾りが運び込まれたとき、治左衛門はそれを運ぶ船も車も、そして車力や船頭の半纏も、すべて別誂えにした。

秋菜はそのひな飾りを、深川に寄進しようとしている。父親から聞かされた通りの作法で運んでいるのは、せめてもの治左衛門への手向けだった。

箱を見ていると、なみだがこぼれそうになった。それを秋菜はこらえていた。

大きな船とすれ違ったらしく、横波を受けて屋根船が揺れた。

秋菜も揺れた。

たまっていたなみだがひと粒、膝に重ねた手に落ちた。

二

常盤屋治左衛門の祖父、三代目常盤屋治左衛門は、元和《げんな》六（一六二〇）年に伊勢熊《くま》野《の》から江戸に出てきた材木商である。

屋号は料亭と同じ常盤屋で、熊野で三代続いた材木商だった。

元和六年に、幕府は諸大名に対して江戸城修築手伝いを命じた。三代目治左衛門は、藩主に求められて江戸に出てきた。江戸移住を決意していた治左衛門は、修築後も帰国しなかった。

何軒かの材木商も、治左衛門と同じように江戸に住み着いた。そして、京橋河岸で材木商を始めた。京橋は、江戸湾から材木を運び込むには格好の地の利だったからだ。

秋菜の父親は、寛文《かんぶん》十（一六七〇）年十月に、四代目治左衛門の長男として誕生した。四代目は商いに長じた男で、秋菜の父親が元服を祝った貞享元（一六八四）年には、一万二千両を蓄えるまでに身代を大きくしていた。

ところが同年十月に京橋から出火し、常盤屋は材木すべてを焼失した。火元は常盤屋とかかわりがなかったことで、咎《とが》めは受けなかった。が、四代目は材木商に見切りをつけて、日本橋音羽町で料亭を開業した。三百坪の空き地が得られたことと、付合いの深かった廻漕《かいそう》問屋から料亭開業を求められてのことである。

元手には事欠かなかった四代目は、普請《ふしん》にカネは惜しまなかった。元が材木商だけに、二階家に用いる材木をおごった。

屋号にちなみ、老松を庭に植えた。そして庭の片隅には畑を作り、料亭で出す野菜は自前の品を用いた。料理人は先代の在所から呼び寄せて、上方の味を供した。

四代目の商才に、料理の美味《うま》さが加わり、常盤屋は開業の貞享三年から大繁盛《だいはんじょう》した。

四代目の連れ合いは、みずから桜花を集めに出かけて、それを桜湯に使った。

四代目が没した元禄六（一六九三）年に、秋菜の父親は二十四歳で五代目治左衛門を襲名した。材木商ではなく、料亭常盤屋の二代目あるじとしてである。

同じ年に、吉野を嫁に迎えた。十九歳で常盤屋に嫁いだ吉野は、祝言《しゅうげん》のふた月後に二代目女将《おかみ》に就いた。

二年後の元禄八年十月に、女児を授かった。料亭には、女児は大金星である。大喜びした治左衛門は畑の野菜にちなみ、赤子を秋菜と名づけた。

秋菜の誕生は、常盤屋に大きな幸運を運んできた。

年の瀬も押し詰まった師走《しわす》初旬の七ツ（午後四時）ごろ。ひとりの男が、ふらりと常盤屋に入ってきた。四十を越えたような年恰好《としかっこう》に見えたが、目の光り方が際立《きわだ》って強い男だった。着ているのは、穴のあいた木綿の粗末なあわせである。しかし襟足《えりあし》に汚れはなかった。

男が玄関先に入ってきたのは、たまたま吉野が玄関先で下足番と話をしているさなかだった。

髷《まげ》はよれており、月代《さかやき》にも剃刀《かみそり》があたっていない。顔色はわるくないが、あごには不精ひげが生えていた。

男の粗末な身なりを見て、下足番は追い払おうとした。それを吉野が止めた。

「なにかご用でございましょうか」

吉野の物言いには、男を見下すような調子はみじんもなかった。

「水をいっぱい恵んでくれませんか」

男は訛《なま》りのない江戸弁を話した。見かけとは裏腹に、声には張りがあった。

「お安いことです」

吉野はみずから奥に引っ込んだ。上がる前に、男を玄関のなかに招くようにと下足番に言いつけた。吹きさらしの玄関先では、あわせ一枚の男が寒かろうと思ってのことだった。

ほどなく仲居が、湯気の立っている湯呑《ゆの》みを盆に載せて運んできた。

「この寒空のなかで、水では身体《からだ》にさわると女将が申しておりますから」

仲居が差し出した湯呑みには、桜湯が注がれていた。

男は両手で湯呑みを持ち、美味そうに飲み干して常盤屋から出て行った。

同じ日の六ツ半（午後七時）過ぎに、一挺《ちょう》の宝泉寺《ほうせんじ》駕籠《かご》が常盤屋の玄関先に着けられた。

「どちら様のお成りでございましょう」

下足番が駕籠舁《か》きにたずねた。この日に来るはずの客は、すでに全員が座敷に上がっていたからだ。

「紀文《きぶん》さんでやす」

駕籠舁きが口にした名を聞いて、下足番は飛び上がった。紀文と略して呼ばれる紀《き》伊国屋《のくにや》文左衛門は、江戸で名を知らぬ者がいないという豪商である。

その大尽が、前触れもなしに常盤屋にやってきた。下足番は駕籠舁きに戸を開くのを待たせて、女将を呼びに駆け上がった。

吉野は落ち着いた足取りで、駕籠に近寄った。女将の姿を見て、駕籠舁きが宝泉寺駕籠の戸を開いた。

駕籠から出た紀文は、黒羽二重五つ紋の羽織を着ていた。羽織の下には、夕刻常盤屋で桜湯を飲んだときの、擦り切れたような木綿のあわせを着ていた。

髷は結い直されており、月代にも顔のひげにも、きれいに剃刀が入っている。さっぱりと身繕いがなされていたが、まぎれもなく一杯の水を欲しがった男だった。

「さきほどは、美味い桜湯をごちそうさまでした」

紀文が吉野に笑いかけた。

「お気に召しましたのでしょうか」

「もちろんです。扱いにも桜湯の味にも申し分がなかったゆえに、はやばやと裏を返しにきました」

派手な吉原遊びで名が通っている紀文は、常盤屋を花魁《おいらん》に見立てて「裏を返しにきた」と口にした。同じ花魁を、二度目に呼ぶときの言い方である。

紀文らしいしゃれと受け止めた吉野は、笑顔を崩さなかった。

「部屋はありますか」

「ございますが……前触れなしのお越しでございますゆえ、狭い十畳の座敷しかご用意できませんが」

「それで結構です」

紀文はこだわりなく常盤屋に上がった。そして、浜町に残っていた芸妓《げいぎ》を総揚げした。使いを出して、浅草から幇間《たいこもち》も呼び寄せた。

十畳間がひとで溢《あふ》れたまま、翌朝まで大騒ぎを続けた。

この夜だけで、紀文は五十両を遣った。

粗末な身なりで町を歩き、ひとの様子をうかがうのは紀文流の遊びだった。吉野はそんな紀文に、分け隔てのない好意を示した。それを喜んだ紀文は、吉原遊びのかたわらで常盤屋を大事に使い始めた。

初めて常盤屋で遊んだとき、紀文は二十八歳だった。秋菜の父親、五代目治左衛門より、わずか二歳年上なだけである。吉野とも、七歳しか違わなかった。

したたかな商人と呼ばれる紀文だが、常盤屋では年相応の若い遊び方だった。

「吉原でひどい金遣いをしているのは、商いの評判が入り用だからだ。ここに来たときだけは、あたしも素顔でいたい」

そう言いつつも、紀文は芸妓の総揚げを繰り返した。派手な遊びがしたいわけではなく、常盤屋にカネを落としたかったのだろう。

他の客がいる間の紀文は、騒がず、三味線も忍び音《ね》で弾かせるほどに気遣った。芸妓総揚げの騒ぎは、客が帰ってからのことである。

紀文が遊びにきたときは、治左衛門も座敷に顔を出した。二十代後半の若さで、ともに商いを切り盛りしているふたりは、さまざまな事柄で考えを同じにした。治左衛門の先祖が材木商であったことも、ふたりのうまが合ったわけのひとつである。

秋菜が生まれた年に、常盤屋は紀文という上得意を得た。そして翌元禄九年春に、紀文は三万両の儲《もう》け話を常盤屋に聞かせた。

常盤屋の庭の桜が、満開の花を散らし始めたころだった。

三

紀文が初めて常盤屋をおとずれたのは、元禄八年の十二月初旬である。その三月《みつき》手前の九月から、公儀は新しい金貨・銀貨の鋳造に着手した。

造られたのは大判・小判・一分金・二朱金の四金貨と、丁銀、豆板銀の銀貨二種である。公儀は『御改鋳《ごかいちゅう》』と、もっともらしい名称をつけた。しかし実のところは、金銀の中身を減らし、それまで通用していた慶長小判との出目《でめ》（差益）稼ぎが目的だった。

元禄の改鋳において、幕府は基準貨幣、小判鋳造に最も力を入れた。手にした重さに違和感をなくすため、小判の量目は減らさぬように気遣った。

慶長小判一枚の重さは、四匁《もんめ》七分五厘。元禄小判は四匁七分四厘九毛と、わずか一毛しか減ってはいない。町場の両替屋の秤《はかり》では、その差が計れなかったほどの僅差《きんさ》だった。ところが含まれる金の量は、慶長小判がおよそ四匁一分はあるのに、元禄小判は二匁六分八厘しかなかった。

幕府は慶長小判百枚から、元禄小判百五十枚を鋳造したのである。

改鋳が行われた翌元禄九年の三月二日。

紀伊国屋の手代が常盤屋をおとずれた。まだ玄関先に盛り塩もしていない、八ツ(午後二時)のことである。

敷石に散った花びらの掃除をしていた下足番は、すぐさま女将《おかみ》に取次いだ。

「こちら様の離れが使える日をうかがって参るようにと、あるじから言付かっております。明日から先で、いつならご用意願えますでしょうか」

紀文は常盤屋の特上客である。離れが使いたければ、客が帰ったあとの五ツ半（午後九時）以降なら、いつでも使えた。紀文は、夜更《よふ》けから夜通し遊ぶのが常だったし、常盤屋もそれに応じてきた。

ところが手代は、わざわざ離れの空きを確かめにきた。わけがありそうだと察した吉野は、仲居に離れの埋まり具合を調べさせた。

「八日先の十日でよろしければ、なんどきからでもお使いいただけます」

手代は、その日でお願いしますとその場で答えた。何日と言われても受け入れるようにと、紀文から指図されていたようだ。

「十日は、七ツ（午後四時）に参ります」

「うけたまわりました。七ツでは、夕餉《ゆうげ》をお出しするには、いささか早いと存じますが、いかがいたしましょう」

まだ陽が残っているころに、紀文が常盤屋に来たことは一度もなかった。

「日暮れ前の桜を見たいと、あるじが申しております。十日は、格別の酒肴《しゅこう》は調えていただかなくても結構です」

手代は料理は不要と口にした。

その代わりに、この先は十日の客を受けないで欲しいという。旬日の十日は、どこの商家も商いの締めで忙しく、常盤屋の座敷もほとんどが空いていた。

「うけたまわりました」

手代が帰ったあと、吉野は十日の客は断わるようにと帳場に言いつけた。

ひな祭りの三月三日から、江戸は天気に恵まれた。やわらかな日差しを浴びて、大川端の桜も、常盤屋に植えられた五本の桜も、八日には満開となった。

紀文がおとずれた三月十日には、風を受けた桜が花吹雪となるほどに、咲き方を競い合っていた。

離れに入った紀文は、あるじの治左衛門と向かい合わせに座った。三月十日の七ツは、まだ庭に陽が残っている。障子を開いた離れの座敷に、風に散った庭の桜が幾ひらも舞い落ちた。

花びらのひとつをつまんでから、紀文が口を開こうとした。その顔つきを見て、治左衛門が背筋を張った。

「このたびの御改鋳では、常盤屋さんも難儀をされていますか」

前置きも言わず、紀文が問いかけてきた。

「お客様からいただく元禄小判には、両替屋がいい顔をしません。それゆえ、いささか困ってはおりますが、それがなにか？」

「やはりそうですか」

治左衛門の問いには答えず、紀文は腕組みをして目を閉じた。

公儀は改鋳で巨額の出目を金蔵に納めた。しかし慶長小判と比べて、明かに値打ちの下がった元禄小判は、だれもが受け取りを渋った。公儀は小判だけではなく、大判・一分金・二朱金のすべての金貨と、丁銀・豆板銀などの銀貨まで、それぞれの中身を減らしていた。

値打ちの下がった金貨・銀貨を腕力で通用させようとしたことで、江戸では二割近くも物の値が吊《つ》り上がった。

治左衛門は先代が創業した商いの誇りにかけて、酒席の値上げはしないできた。しかし仕入れ値が高くなり続けていることで、儲《もう》けが急ぎ足で薄くなっていた。

「治左衛門さんに念押しするのは失礼だとは思うが、これから話すことは、構えて他言しないでいただきたい」

紀文の口調が、年長者が目下の者を諭すような調子に変わっていた。

まだ三カ月少々の付合いでしかなかったが、紀文の気性に信を置いていた治左衛門は、きっぱりとうなずいた。

「御上が御改鋳に踏み切られたわけは、綱吉様が望んでおられる作事を賄《まかな》うためです」

「賄うためとは……御公儀の御金蔵には、何百万両もの小判が蓄えられているでしょう。紀文さんの言われることが呑《の》み込めません」

治左衛門がわずかに語調を強めた。

家康が江戸を開府したとき、幕府の金蔵には五百万両余の金が収められていた。

徳川幕府の歳入は八百万石である。このなかから半分の四百万石を、幕閣および旗本などへの俸給に充《あ》てた。ゆえに将軍家の取り分は、四百万石程度だった。

領民との配分は四公六民が定めである。

四百万石は表向きの石高で、実収入は百六十万石。この大部分が将軍の私用、大奥などの費えに用いられ、国事に使えるカネは僅《わず》かな額に限られていた。

その一方で、公儀は江戸町民からは税を徴収しないままに、まつりごとを行った。

行政の原資を徴収しないまま、江戸町民の暮らしを守ろうとした幕府は、開府百周年を目前にした元禄八年の御金蔵には、百万両強しか残せていなかった。

「治左衛門さんもご承知の通り、いまの将軍綱吉様は、生類憐《しょうるいあわれ》み令を敷かれました」

野犬にはほとほと手を焼いている治左衛門が、深く何度もうなずいた。うなずきながら、なぜ紀文が離れにこだわったかが分かった。

話の中身は、到底他人には聞かせられない事柄である。立ち聞きされるのを本気で恐れているなら、紀文はおのれの屋敷に治左衛門を呼びつければすむことだ。それをせずに常盤屋に出向いてきたということは、それだけ治左衛門を信じているからだろう。そんなことを思い巡らせつつ、治左衛門は紀文の話に聞き入っていた。

「このたび綱吉様は、途方もなく大きな野良犬《のらいぬ》小屋を、中野村に普請《ふしん》されています」

「野良犬の小屋を、ですか」

治左衛門は、思わず相手の言葉をなぞった。それほどに、野良犬小屋普請は驚きだった。

「柳沢様からうかがった話では、犬の餌《えさ》代だけでも、日に数十両もかかるとのことです」

柳沢様とは、老中柳沢美濃守吉保《みののかみよしやす》である。吉保と紀文が近いということは、江戸中のうわさになっていた。が、紀文が老中の名を口にしたのは、この日が初めてだった。

「われわれには及びもつかない無駄遣いですが、将軍様を諫《いさ》めることは、柳沢様にもできません」

「そうでしょうね……」

治左衛門がため息混じりの答え方をした。

「御公儀のカネが底を尽きそうだとご案じになった柳沢様が、言葉はわるいが、濡《ぬ》れ手で粟《あわ》をつかもうとして編み出したのが、このたびの金銀御改鋳です」

公儀の目論《もくろ》みは、見事に図に当たった。

のちの時代に新井白石は、元禄改鋳で公儀が手にした出目は、およそ五百万両にもなったと記している。

「多くのひとから文句が出ていますが、ことは柳沢様の目論み通りに運んでいます」

「ご金蔵が日ごとに膨らんでいる、ということですね」

料亭を切り盛りする治左衛門は、わけを聞かされたあとの呑み込みが早かった。

相手の答え方に満足したらしく、紀文が膝《ひざ》をずらして間合いを詰めた。

「元手ができたことで、綱吉様は再来年の元禄十一年に、寛永寺《かんえいじ》に根本中堂《こんぽんちゅうどう》をお造りになると決められました」

「根本中堂とは……都の延暦寺《えんりゃくじ》にあるという道場のことでしょうか」

「よくそれをご存知ですね」

紀文が心底からの驚き顔を見せた。

「先代が都に詳しかったものですから。それで綱吉様は、延暦寺と同じようなものを普請されようと？」

「さらに大きな普請をお考えです」

紀文はふところから半紙を取り出した。

「長桁《ながけた》二十三間五尺、横梁《おうりょう》十八間、高さ十七間の絵図が、すでに仕上がっています。これの普請には、途方もないカネが投じられることになるでしょう」

風が座敷に流れ込んできた。口を閉じた紀文が、庭の桜に目を移した。

花吹雪となって舞い散っていたひとひらが、紀文の湯呑みに舞い落ちた。

四

元禄九年七月二十一日。夏日が照りつける八ツ（午後二時）過ぎに、常盤屋の畑地奥に普請《ふしん》していた三十坪の平屋が仕上がった。紀文の頼みを聞き入れた治左衛門が、三月下旬から造らせてきた家屋である。

人目を惹《ひ》かぬように、外見《そとみ》は納屋《なや》風の拵《こしら》えである。野菜が植えられた畑地と納屋とは、まるで違和感がない。平屋の絵図は、紀文がみずから描き上げていた。

三月十日に常盤屋の離れをおとずれた紀文は、御改鋳《ごかいちゅう》の顛末《てんまつ》を治左衛門に聞かせたあとで、ひとつの相談事を持ちかけた。

「元禄十一年に仕上げ終える寛永寺の根本中堂は、普請の差配をあたしが担《にな》います」

紀文が言い切った。筆頭老中との親密さを聞かされた治左衛門は、紀文の話を信じた。

「材木代だけでも、百万両に届くでしょう。それに職人達の手間賃やらなにやらを加えたら、ざっと二百万両の請負となります」

百万両だの二百万両だのという金額を、紀文はさらりと言ってのけた。常盤屋は充分に繁盛《はんじょう》している料亭である。それでも紀文が遊ばない限りは、日に百両を超える商いはまれだった。

月に二千両、年で二万四千両を超えれば上々の商いである。仕入れを惜しまない常盤屋は、粗利《あらり》が四割稼げれば上首尾と言えた。

下足番や下働きまで加えた奉公人は六十人。その給金が、年に千二百両見当である。他の料亭に比べても、相当に高い給金を払う常盤屋は、奉公人が骨身を惜しまずに働いた。

屋敷の修繕、庭の手入れ、自前で持っている屋根船の掛りなど、給金以外の払いがおよそ二千両である。これだけの費えを払っても、年に二万四千両の商いがあれば、常盤屋は充分に身代を保つことができた。

ところが紀文は百万両という、桁違いの金高を口にした。治左衛門は、あらためて材木商の豪気さを思い知りながら話を聞いた。

「あたしは御公儀の作事を幾つも請負ってきましたが、これほどのものは初めてです。普請の大きさから言っても、紀伊国屋だけでは手に余ります」

治左衛門の前では紀文も見栄《みえ》を捨てたのか、手に余るとあけすけなことを口にした。

「ついては、常盤屋さんに折り入っての頼みがあります」

立ち上がった紀文は、離れの障子戸を閉じた。次第に夕闇《ゆうやみ》が迫り来る座敷で、紀文は明かりもつけず、一刻《とき》（二時間）近くかけて、思案を治左衛門に話し続けた。

寛永寺は東叡山円頓院《とうえいざんえんどんいん》の山号を有する、天台宗の関東総本山である。元和八（一六二二）年に、天海《てんかい》僧正が江戸城鎮護を祈願したことで、幕府から上野台地の一部を拝領した。

東叡山は、関東の叡山をあらわす山号で、寛永寺の名は、創建年号の寛永にちなんで付けられた。

徳川綱吉は、孝行を重んずるとともに、ことのほか信心深い将軍である。かねてより綱吉は、将軍家と深い寛永寺に延暦寺よりも大きな根本中堂を建立《こんりゅう》することを夢見てきた。

それを受けた幕閣たちは、金銀改鋳という奇策を用いて、建立の費えを捻出《ねんしゅつ》した。

そして正保《しょうほう》三（一六四六）年生まれの綱吉の、五十歳を祝賀するという名目で、根本中堂建立の言上書《ごんじょうしょ》を差し出した。

夢の実現を、寵臣《ちょうしん》柳沢吉保から示された綱吉は、見積もりを質《ただ》しもせずに作事進行を許した。綱吉からの朱印を手にした吉保は、紀文が治左衛門に聞かせた通り、二百万両を超える作事差配を、紀伊国屋文左衛門にゆだねた。

「材木の手配りから作事差配の一切を、駿府《すんぷ》の松木新左衛門《しんざえもん》に任せます」

その新左衛門の仮住まいを、常盤屋の畑地に普請して欲しいというのが、紀文の頼みごとだった。

根本中堂落成まで、二年の長丁場である。商売敵にさとられないためにも、紀文は新左衛門の動きを隠しておきたいと言った。

「常盤屋さんなら、あたしがここに顔を出しても、いぶかしく思う者はいないでしょう。なにしろあたしは、遊び好きで通っていますから」

話を始めてから、紀文が初めて笑った。

「それにこちらであれば、年中飛脚が出入りしても、だれもなんとも思いません。しかも常盤屋さんは、楓川《かえでがわ》のすぐそばだ。船を使えば、足の便もすこぶるよろしい」

紀文は隅々にまで気を配って、おのれの思案をまとめていた。

治左衛門は、ためらうことなく紀文の頼みを引き受けた。聞けば聞くほど、大事のほどが察せられた。そんな秘事を、紀文は隠さずに治左衛門に聞かせた。

話しぶりは、治左衛門を信じ切っていた。それを断わるのは、相手の信義を踏みにじる振舞いだと判じたからである。

紀文は筆頭老中と昵懇《じっこん》であるがゆえに、かなった話だと正直に聞かせた。これは治左衛門の信条とは、まるで異なる商いの進め方だった。

が、公儀の法度《はっと》に背くわけではない。

常盤屋の得意客である廻漕《かいそう》問屋の面々も、ことあるごとに、ここの座敷で役人をもてなしている。帰りには、持ちきれないほどの手土産を渡した。その上、少なからぬ額の金子《きんす》も差し出していることを、治左衛門は承知していた。

商売ごとに、それぞれの流儀がある。それをわきまえている治左衛門は、紀文のやり方に眉《まゆ》をひそめることはしなかった。

さらに言えば、治左衛門も根本中堂の作事には、大きく気を動かしていた。どんな建物ができるのか、一日も早く知りたかった。材木商だった先祖の血が、治左衛門の気を高ぶらせたのだろう。

長桁二十三間五尺（約四十三メートル）。

横梁《おうりよう》十八間（約三十二メートル）。

高さ十七間（約三十一メートル）。

これほどの堂は、江戸中の社寺を思い返しても治左衛門には心当たりがなかった。

根本中堂の屋根を見上げてみたい……。

紀文の頼みを引き受けたとき、治左衛門はわれ知らずに顔を上気させていた。


駿河《するが》の松木新左衛門は、七月晦日《みそか》に到着した。あらかじめ知らされていたらしく、楓川の夕風が流れ来る前に、紀文が常盤屋に顔を出した。駿河からの三人に、紀文と治左衛門とが加わり、日暮れ前から酒席が設けられた。

場所は納屋である。

平屋普請にかかわる職人は、すべて紀文が手配りした。見た目は納屋だが、土間に入ると見事な座敷が目の前にあらわれた。

なにより先に目につくのは、二十畳広間の真ん中に据えられた、幅八尺・奥行き四尺の大きな卓である。卓の脇《わき》には、これも幅が六尺はある箪笥《たんす》が置かれていた。

絵図を広げる卓と、それを仕舞う箪笥である。これらはいずれも、深川平野町の指物職人が丹念に仕上げたものである。卓は厚さ五寸の樫《かし》の一枚板で、二十貫（約七十五キロ）の重さがあった。

仕事場に使う二十畳広間の奥に、三人の居室がそれぞれ四畳半で普請されている。仕事場も居室も、きちんと天井板が張られていた。

部屋の造りは立派だが、土間には小さな流しと水がめがあるだけで、へっついがない。三食すべてを、常盤屋が賄《まかな》うがゆえのことだった。

「男三人では、火の始末が大変ですから」

土間からへっついを除いたのは、吉野の思案である。材木商にとっても、火事はなによりも怖い。紀文は文句なしに、吉野の申し出を受け入れた。

隅々まで行き届いた平屋だが、根本中堂落成のあとは取り壊すというのが、紀文と治左衛門との決め事である。

酒を酌《く》み交わしながら、治左衛門は複雑な思いで造作を見ていた。

「仮小屋にしては、立派な造りでしょう」

治左衛門の胸中を汲《く》み取ったような調子で、紀文が話しかけてきた。

「ここまで見事な造りだとは、思案のほかでした」

「常盤屋さんさえよろしければ、作事を終えたあとは好きに使っていただいて結構です」

紀文は七十三両も投じて拵えた納屋を、ただで差し出すと言った。その物言いには驕《おご》りがまるでなく、心底からの感謝を治左衛門に伝えていた。

「ありがとうございます」

治左衛門の礼にも気持ちがこもっていた。

八月に入ると、納屋では男三人が忙しく働き始めた。夜明けから日暮れまで、陽の明かりのある間は、だれかしら客が納屋をたずねてきた。

夜になれば、行灯《あんどん》ではなく、明るい百目ろうそくが何本も灯《とも》された。二十畳間は昼間のように明るかったが、外に灯が漏れないように、明り取りは厚い布でおおわれた。

紀文は五日ごとに顔を出した。入るのは玄関からだが、座敷を素通りして納屋に向かった。そしてときには夜明かしもした。

仕事のはかどり具合が知りたくてたまらない治左衛門は、なにかと口実を見つけては納屋をおとずれた。駿河の三人衆は治左衛門を喜んで迎え入れ、細かに進み具合を聞かせた。

元禄十年一月に、根本中堂の雛形《ひながた》が仕上がってきた。絵図をもとにして、橋場の職人が三十分の一に縮めて拵えた雛形である。それが納屋に運び込まれた夜は、紀文よりも治左衛門のほうが喜び勇んだ。

元の高さが十七間もある建物の雛形である。三十分の一といえども、屋根のてっぺんまでは高さが三尺を超えていた。

治左衛門が雛形に見とれたこの夜から一年余りが過ぎた、元禄十一年二月九日。紀文が請負った、根本中堂の造営が始まった。

五

元禄十一年八月一日は、過ぎ去ろうとしていた夏が引き返してきたような残暑となった。

明け六ツ（午前六時）の鐘で、江戸中の町木戸が開かれる。いつもの日であれば、木戸開きを待っているのは、早起きの担《かつ》ぎ売りか、仕事場に早出をする職人ぐらいだ。

ところがこの朝は大川端の各町で、裏店《うらだな》の住人たちが木戸の前に群がっていた。

「どうなってるんでえ、番太郎はよう」

「まだ寝てるんじゃねえか。おめえが行って、野郎を叩《たた》き起こしてこい」

夜明け前から木戸前に並んでいる血の気の多い連中が、鐘が鳴る前から騒いでいた。

日本橋本石町《ほんこくちょう》の鐘が、短い捨て鐘を打ち始めたところで、木戸番小屋から番太郎が起き出してきた。

「てめえ、いつまで寝てやがるんでえ」

大川の東と西との町々で、同じような毒づきが番太郎にぶつけられていた。

この朝、根本中堂落成に先立って、永代橋《えいたいばし》が開通した。木戸の前に群がっていたのは、ひとより先に橋を渡りたい連中だった。

五ツ（午前八時）を過ぎたころ、吉野と四歳になった秋菜を連れて、治左衛門も永代橋を西から東に渡った。

永代橋は、架橋作事の始まりごろから江戸中の評判を集めた。橋が架かれば、霊巌島と佐賀町とが地続きで結ばれることになる。

「この橋が架かれば、嵐《あらし》の日でも富岡八幡様にお参りができるというもんだ」

霊巌島の隠居が、歯の抜けた顔を崩して喜んだ。

「それはあっしもおんなじでやしてね。気がせいてるときにゃあ、一気に駆け渡れるてえのがありがてえんで……」

隠居の相手をしていた、深川の大工が応じた。こんな会話が大川の両岸で毎日のように交わされながら、八月一日の朝を迎えた。

どれほどの数のひとが、永代橋の仕上がりを待ち焦《こ》がれていたかは、治左衛門も肌身に感じていた。それをわきまえていながら、渡り初《ぞ》めの人込みに、治左衛門は吉野と、まだ四歳の秋菜を伴った。

永代橋に用いたのは、根本中堂の余材である。中堂作事に格別の思いを抱える治左衛門は、家族三人で渡り初めをしたかった。


元禄十年一月に、橋場の職人が拵《こしら》えた根本中堂の雛形《ひながた》は、三月に入ると将軍家から紀文の手元に戻ってきた。材木手配りと作事段取りを、より確かなものにするためである。

雛形は柱一本にいたるまで、建立《こんりゅう》される中堂をあらわした拵えだった。絵図だけでは分からない細部の造りも、雛形を見ればよく呑《の》み込めた。

治左衛門は暇さえあれば納屋《なや》をおとずれて、雛形に見とれた。松木新左衛門が苦笑いするほどに、治左衛門は入れ込んでいた。

「それほど気になるなら、中堂普請《ふしん》に治左衛門さんも一枚嚙《か》んだらどうですか」

紀文がこれを切り出したのは、元禄十年の七月下旬だった。

「一枚嚙むとは、どういうことでしょう」

紀文に言われたことが得心できない治左衛門は、ひたいの汗を拭《ぬぐ》いながら問いかけた。

「これから、最後の材木仕入れに入ります。その費えの一部を、治左衛門さんも負ってみませんか」

紀文は仕入帳を治左衛門に見せた。熊野と木曾《きそ》から買い集める材木の詳細が記されており、一番後ろに仕入れの締めが書かれていた。

金二十五万七千三百十八両也。

金高を見て、治左衛門は息を呑んだ。常盤屋の商いとはひとけた違う金高が、目に突き刺さったからである。

「これだけのカネを、紀文さんはひとりで用立てられるということですか」

「まさか……世間が取り沙汰《ざた》するほど、あたしは大尽ではありません」

こだわりなく笑う紀文の目は澄んでいた。

「駿河の新左衛門さんが応分に負ってくれたからこそ、ここまでの大仕事を引き受けることができました」

買い求めた材木は、すでに百万両を超えていると紀文は続けた。

公儀とは、見積もりの半金が前払いで、残りは落成当日という取り決めだった。仕入れを終えた材木代が百万両を超えてはいたが、紀文は半金の百万両をすでに受け取っていた。

元々が大尽であるだけに、仕入れのカネに詰まっているわけではない。しかも駿河の豪商、松木新左衛門が紀文と組んでいる。

この先たとえ百万両が入り用になったとしても、ふたりの財力を合わせれば乗り越えられただろう。

紀文が一枚嚙まないかと勧めたのは、それだけ治左衛門を大事に思っていたからだ。

「ぶしつけな問い方になりますが、治左衛門さんは一万両の都合がつきますか？」

問われた治左衛門は、それぐらいならと即座に答えた。

「熊野と木曾の山元とは、材木が熱田湊《あつたみなと》に集められたところで支払う約定です。治左衛門さんにその気があるなら、八月十五日までに一万両を調えてください」

「分かりました。間違いなくその日までに、用意させてもらいましょう」

蓄えの半分近いカネだったが、治左衛門は迷いも見せずに応じた。

元をたどれば、材木商の血筋である。治左衛門は料亭の切り盛りしか知らなかったが、先祖の商いは父親から何度も聞かされていた。

うまく材木が運ばれてくれれば、相場次第では何十倍もの儲《もう》けが出る。しかしひとたび海が荒れて材木が流されたりすれば、一夜にして潰《つぶ》れることもある。

それが材木商の醍醐味《だいごみ》だと治左衛門に話した先代は、目の奥が光っていた。火事に遭って見切りをつけた父親だが、没するまで根は材木商だったのだろう。

いまの治左衛門は、先祖の血が熱く騒いでいた。しかしそれは大きな儲けを望んでのことではない。雛形が示している、見事な根本中堂普請にかかわる喜びが、血を沸き立たせていた。

元禄六年に先代から常盤屋を受け継いで、丸四年が過ぎていた。その間、一度も味わったことのない気持ちの高ぶりだった。

「紀文さんが、材木の仕入れにあたしを一枚嚙ませてくれるそうだ」

聞かされた吉野は、心底からの笑みを浮かべて、治左衛門の背中《の》を押した。

材木が尾張熱田湊から廻漕《かいそう》されてくる九月に、江戸は何度も野分《わき》に襲われた。京橋の堀に浮かべた丸太が、何十本も大川に流される騒ぎが起きた。

堀に浮かべた丸太が流される嵐《あらし》である。海はさらに激しく荒れ狂った。

治左衛門は、ただの一度も紀文に廻漕の様子をたずねなかった。料亭のあるじとしての矜持《きょうじ》もあったが、材木はかならず届くと信じ切っていたからだ。

材木は届く。案ずることはない。

野分のさなかに、治左衛門は夢のなかで先代の励ましを聞いた。それを支えに、泰然として吉報を待った。

夢は正夢だった。

他の材木商が散々な目に遭っているなかで、紀文が仕立てた廻漕船団は、ただの一本も流失させることなく、江戸湾まで運んできた。

親船から海に放り投げられた丸太が、川並の手でいかだに組まれてゆく。そのさまを、治左衛門は自前の屋根船から見守った。

すべての材木が荷揚げされたのは、木枯らしが吹き始めた十一月二十七日のことである。この日は客が帰った五ツ半（午後九時）から、離れで盛大な祝いをした。

秋菜が紀文と口をきいたのは、この夜が初めてだった。

長さ百二十間を誇る永代橋の評判は、その恩恵を大きく受ける両岸の住民にとどまらず、江戸中のひとが取り沙汰した。

「橋の真ん中に立つと、西には富士山が見えるそうじゃないか」

「富士山だけじゃねえ。御城の石垣まで、はっきりめえるぜ」

橋を渡った男は胸を反り返らせて、わけしり顔で講釈を続けた。

「そもそも、あの橋ができたのは、もうじき仕上がる寛永寺さんの根本中堂の、材木が余ったからだてえんだ」

「なんだい、余った材木というのは」

「知らねえんなら、黙って聞きねえ。根本中堂は、高さと横梁《おうりよう》とが、どっちも十七間もあるてえ代物《しろもの》だ。余った丸太だけで橋のひとつが架かったとしても、だれも驚かねえてえことさ」

講釈を聞いた連中は、翌日の仕事場で同じ話を仲間に聞かせた。

永代橋が開通したのは、まだ夕涼みが楽しめる八月一日である。仕事を終えた職人たちは、長屋に帰るなり、路地に縁台を引っ張り出した。そして昼間に仕入れた、橋と根本中堂とのかかわりを肴《さかな》に、安酒をやり取りした。

元禄十一年九月三日に、寛永寺根本中堂が見事に仕上がった。晴れ渡った空が、そびえ立つ中堂の介添え役だった。

同じ日の夕刻七ツ半（午後五時）に、紀文が常盤屋をおとずれた。ふたりは納屋ではなく、離れの座敷で向かい合った。二年前の三月と同じ形である。

あのときは庭に桜吹雪が舞い散っていた。

九月のいまは、コオロギが夜を待たずに鳴き始めていた。

「これが治左衛門さんの元手分です」

紀文が差し出したのは、日本橋の本両替、大坂屋振出しの為替切手である。大坂屋は公儀の勘定も取り扱っていた。

金一万両也の金高が、為替の真ん中に太い筆文字で書かれている。

「それと、こちらが常盤屋さんの儲け分です。どうぞ金高をあらためてください」

元手分のわきに、同じ一万両の為替切手三枚が並べられた。

「これは？」

治左衛門の顔色が変わっていた。

「三万両が治左衛門さんの儲けです」

「まさか、そんな……」

ものには驚かないつもりでいた治左衛門が、あとの言葉を失っていた。

「あたしも新左衛門さんも、充分に儲けを出しました。常盤屋さんも、遠慮は無用です」

紀文の言葉と、虫の音とが重なった。

六

九月四日は、前日を上回る晴天で江戸の朝が明けた。空はどこまでも青くて高く、ひときれの雲も見当たらない。

治左衛門は六ツ半（午前七時）に日本橋を出て、上野寛永寺に向かった。前日落成した、根本中堂を見るためにである。吉野と秋菜を伴う気でいたが、こどもの熱が高かった。

「夜の冷え込みで、風邪をひいたのかもしれません」

吉野はこどもと残ることになり、供をつける道のりでもないと判じた治左衛門は、ひとりで常盤屋を出た。まだ三十路《みそじ》手前の治左衛門の歩みは速く、四半刻《しはんとき》（三十分）も経ぬうちに神田川に架かる和泉橋《いずみ》を渡っていた。

ここから寛永寺までは、大名の中屋敷や下屋敷が塀を連ねる一本道である。行く手の東側には、藤堂和泉守中屋敷の塀が見えた。高さ一丈五尺（約四メートル半）の塀は、家臣の長屋を兼ねている。その塀の屋根瓦《やねがわら》に、秋の朝日が差していた。

商家の連なった日本橋本通りとは、まるで異なった眺めである。しかも大名屋敷前の道は、まだ早朝ということもあり、ほとんどひとが歩いていない。ひとの代わりに、数匹の野良犬《のらいぬ》が通りの真ん中を歩いていた。

伊勢津藩三十二万石の藤堂屋敷は、通用門にも朝から門番が立っていた。治左衛門の先を歩いていた野良犬が門番の足元に近寄り、片足を上げた。

手にした六尺棒で犬を追い払おうとしたところに、治左衛門が通りかかった。

治左衛門と目が合ったことで、門番は慌《あわ》てて棒をおろした。治左衛門は見ぬふりをして通り過ぎた。

お犬様は大名屋敷でも変わりはないのか。

げんなりした治左衛門は、足を急がせて藤堂屋敷を通り過ぎた。高い塀が消えて、町の眺めが大きく広がった。そして、前方に寛永寺の杜《もり》が見え始めた。

ここから寛永寺までは、まだ半里（約二キロ）は離れている。しかし杜を押しのけるようにして立つ、根本中堂の屋根が見えた。高さ十七間の建物は、眺めのなかで図抜けていた。

治左衛門は足を止めて、根本中堂の遠景に見とれた。

一年にわたって、雛形《ひながた》で見続けた優雅な屋根の実物が、半里先に見えている。まだ低い朝日が、屋根瓦を斜めから照らしていた。日の差している瓦と、まだ浴びていない瓦とが、遠目にはまだらに見えた。

あれほどの建物作事に、あたしも一枚嚙《か》むことができたのか……。

治左衛門は、紀文と出会ってからの日々を思い出した。そして、ひとの縁《えにし》の妙味を噛み締めた。

思い返しの中で、一万両を分担したいと聞かせたときの、吉野の顔が浮かんできた。

あのときの一万両は、常盤屋の蓄えの半分に相当した。それを材木仕入れに遣いたいと聞かされた吉野は、まばたきもせずに受け入れた。

「存分に、お気の済むようになさってください。常盤屋の身代に障《さわ》ることはありませんん」

吉野のひとことで、治左衛門は最後の迷いが吹っ切れた。

吉野が後押ししてくれたがこそ、三万両もの儲《もう》けを手にできた……これに思い当った治左衛門は、さらにもうひとつ、大事なことを思い出した。

秋菜の誕生からほどなく、紀文さんが常盤屋をおとずれてくれた……。

一万両の分担は、おのれが決めたことだと治左衛門は思っている。しかし、そこに至る道筋のかなめどころには、吉野と秋菜が立っていた。それに思い至った。

根本中堂をもう一度遠目に見た治左衛門は、日本橋に向けてきびすを返した。

初めて堂の下から屋根を見上げるのは、吉野と秋菜と一緒だと決めたがゆえだった。

ここまで来たとき以上に、足取りが速くなっていた。途中で折り返したにもかかわらず、治左衛門は晴れ晴れとした顔つきだった。

九月五日の朝五ツ（午前八時）に、松木新左衛門たち三人は駿河へ帰国することになった。それを送り出す宴席が、四日夜に設けられた。

紀文は二晩続けて常盤屋に顔を出した。

大きな儲けをもたらしてくれた、新左衛門たちの帰国である。吉野と秋菜も、あいさつに顔を出した。熱はまだ下がってはいなかったが、秋菜はしっかりした口調で、紀文と新左衛門とに礼を伝えた。

「初めて常盤屋さんに顔を出したときには、まだ生まれたばかりでしたのに。もう四歳ですか……」

紀文が秋菜の成長を、感慨深げに口にした。

「秋菜ちゃんは、あたしと治左衛門さんとの縁結びをしてくれたのかもしれませんね」

「あたしも同じことを思っていました」

紀文の言ったことを受けて、治左衛門はおのれの思案を話し始めた。

「このたびの大きな儲けを遣って、こどもにひな飾りを作ってやろうと思っています」

「それはいい思案じゃないですか」

まだひとり者でこどものいない紀文が、目を細めて膝《ひざ》を打った。

「どうせ拵《こしら》えるなら、江戸で一番……いや、日本一のひな飾りになさったほうがいい。あたしの知り合いに、名の通った人形師がいますから、明日にでも顔つなぎしましょう」

紀文は、わがことのように大乗り気だった。

「僭越《せんえつ》ながら、あたしにもそのお祝いを手伝わせていただきたい」

駿河の新左衛門までが、話に割り込んできた。

「ひな飾りには、細々とした細工物がつきものです。権現《ごんげん》（家康）様がまだ駿河におられたころから、御用達《ごようたし》指物師として城に出入りしていた職人の弟子筋が、いまは江戸にいます。書付を残しておきますから、一度おたずねください」

男三人が、秋菜のひな飾り思案で大いに盛り上がった。そして紀文は、そのまま常盤屋に泊った。


一夜明けた五日。

五ツ立ちの松木新左衛門一行を送り出したあと、紀文は治左衛門を連れて深川門前《もんぜん》仲町《なかちょう》の人形師をおとずれた。

人形師の名は、田中玄蔵。元禄二年に京から江戸に出てきた男で、都では公家《くげ》屋敷に出入りしていた。苗字《みょうじ》が名乗れるのは、公家御用達であったからだ。

「これからは、ますますお武家はんがえろうならはるやろう思います。ええお得意先も、江戸に集まるやろと思いましてなあ」

上方言葉をしゃべりつつも、田中は江戸で勝負をする気でいた。すでに五十路《いそじ》に差しかかっていたが、立ち居振舞いはしっかりしている。

治左衛門は、ひと目で玄蔵に惹《ひ》かれた。

「費えのほどは問いませんので、日本一のひな飾りをお願いします」

注文主でありながら、治左衛門はこだわりなくあたまを下げた。言われた玄蔵が思案顔になった。

「日本一いわれても、なにが日本一やらをいうてもらわんと……」

「全部が日本一ということです」

紀文がわきから口添えをした。

「大きさも拵えも、どれをとっても、世にふたつとないひな飾りです。及ばずながら、あたしも治左衛門さんの手伝いをさせてもらう気でいます」

紀文が手伝うとは聞いていなかった治左衛門は、目を見開いてとなりを見た。紀文がしっかりとうなずいた。

「おひなさん飾るのは、どんな部屋をおもうておられますんや」

玄蔵に問われて、治左衛門はすぐには答えが出なかった。部屋の大きさまでは、考えていなかったからだ。

「人形師やったら、だれもが日本一のものをつくりたい思います。もちろん、あたしもそう思いますんやが、部屋の大きさをいうてもらわんことには、人形の大きさが決められまへんやろ」

「お公家さんは、どれほどの広さに飾られますんでしょう」

座り直しながら、治左衛門が問うた。

「一番大きなもんで、ざっと二十畳間はおましたなあ……」

「それぐらいなら、造作もないことだ。倍の四十畳でもいいぐらいです」

答えたのは紀文だった。

「新左衛門さんたちが使っていた、あの納屋《なや》を人形屋敷に造り直しましょう」

「あっ、その手があったか……それはなによりの妙案です」

治左衛門が大きな拍手《かしわで》を打った。

「四畳半の部屋三つを打ち抜《ぶ》きにすれば、三十畳に広がります。それで足りなければ、普請《ふしん》しなおせばいい」

紀文から妙案を示された治左衛門は、四十畳に飾るひな人形が欲しいと申し出た。

「それはまた、たいそうなもんやなあ」

玄蔵が考え込んだ。が、目はすでに輝き始めていた。

そのあとは話が調子よく運び、大枠の思案が定まった。

玄蔵ひとりでは手に余る仕事になる。京から腕利《うでき》きの人形師を呼び寄せる。

人形造りには、少なくても一年半から二年はかかる。

飾り物はすべて、本物同様に使える物を拵える。その仕事は、松木新左衛門の書付にある指物職人に頼む。

人形の衣装には京の西陣織を用いる。

飾り段は四段。段の大きさ、人形の種類、飾り物の種類など、拵えの詳細一切を玄蔵に一任する。

費えは見積もりを超えても受け入れる。

これらのことを、治左衛門はすべて呑《の》んで話がまとまった。

玄蔵がその場で口にした胸算用は、千五百両という、途方もない費えだった。

治左衛門は眉《まゆ》ひとつ動かさずに呑んだ。

「念押しするようですが、千五百両を大きく超えるやもしれまへん。よろしおすな？」

「結構です」

手付の五百両は、翌日六日に届けるということで話がまとまった。

人形師の宿を出た紀文と治左衛門は、永代橋を渡った西詰で別れることになった。

治左衛門は日本橋音羽町へ、紀文は京橋へ、である。

「納屋の普請は、あたしに任せてください」

人形屋敷を祝いに贈るという申し出を、治左衛門はありがたく受け止めた。

橋のたもとで、ふたりは南北に別れた。


翌日、治左衛門は手付金五百両の為替切手を用意した。しかし、この日には届けられなかった。

九月六日の昼前に、新橋南鍋町《みなみなべちょう》から火が出た。晴れ続きで乾いていた空気が、火に勢いを与えた。

火事は見る間に燃え広がり、千住《せんじゅ》までの三百二十六町を焼き尽くした。さいわいにも、紀文の住む京橋や、常盤屋のある日本橋は火を免れた。

落成したばかりの、根本中堂は焼け落ちた。

七

元禄十四（一七〇一）年二月三日の節分昼過ぎに、田中玄蔵が羽織袴《はおりはかま》の正装で常盤屋をおとずれた。

「明日が立春で、日柄がよろしおす。ひな飾りは、明日の四ツ（午前十時）に納めさせてもらいます」

ひな人形は、足掛け三年がかりで仕上がった。元禄十一年の火事さえなければ、一年は縮めることができただろう。

玄蔵の元を初めておとずれた翌日に、大火事が起きた。紀文が命がけで差配した根本中堂を、猛火があっけなく焼き尽くした。

材木手配から落成まで、二年のときと、二百万両ものカネを費やした建物が、わずか一刻《とき》のうちに形を失った。

火の恐ろしさを目の当《ま》たりにした紀文は、京橋から深川に商いと住まいの両方を移した。

治左衛門には、それができなかった。

三百坪の地所なら、深川には幾らでもあった。倍の敷地を望んだとしても、難なく手に入っただろう。しかし、楓川河岸あってこその常盤屋である。多くの得意先が日本橋から浜町にかけて集まっていたし、治左衛門当人が音羽町を気に入っていた。

移住はかえりみなかったが、火事への手立てはしっかりと講じた。なにより先に打った手は、蓄えのほとんどを駿河町の本両替に預けたことである。こうすれば、火事に遭っても安心であったし、盗賊に怯《おび》えることもなかった。

本両替に預けたのは、四万八千両である。年に五厘《りん》（二百四十両）の手数料を受け取ったうえで、本両替はこのカネの預かりを引き受けた。

大店《おおだな》の多くは、火事に強い土蔵を拵《こしら》えていた。根本中堂が焼けた火事をきっかけに、治左衛門も庭に蔵を拵えることにした。が、それは金蔵ではなかった。

「壁の厚さ次第で、土蔵は普請《ふしん》代が大きく変わります。常盤屋さんは、どのような蔵をお望みでございましょうか」

江戸の蔵作事の半分を請け負っている熊平屋の手代は、壁土と扉の見本を示しながら、どの拵えにするのかと問うた。

「どんな火にあぶられても、中の物が燃えない蔵にして欲しい」

治左衛門がつけた注文は、これだけである。しかしそれは、熊平屋には一番きつい注文付けだった。

「壁の厚みを増せば、蔵のなかに火が回りにくくなるのは請合えます。しかし、絶対になかが焼けないとは、お引き受けいたしかねます」

手代はきっぱりと断わりを口にした。

「それも道理だが、あたしは蔵の中身をどうしても守りたい」

治左衛門と手代は、半刻もこのことで談判を続けた。そして落しどころとなったのが、壁の厚み一尺五寸の土蔵だった。

作事に二年三カ月。

屋根までの高さは、地べたから二丈（約六メートル）。腰巻（屋根と壁とのつなぎ目）は三重の漆喰《しっくい》仕上げ。土壁一尺五寸。蔵の内側は二階建て。一階と二階の仕切り板にも、土をかぶせて漆喰仕上げとする。蔵の扉は鉄。

作事請負金額は、千六百七十三両。

これが熊平屋の見積もりだった。治左衛門はその場で受け入れた。

土蔵の壁は、土がしっかり乾き切ってから塗り重ねてゆくのが手順である。二年三カ月の工期は妥当なものだった。

治左衛門は土蔵の普請を焦《あせ》らなかった。蔵に収めるのは、田中玄蔵に発注したひな飾りがおもな品であったからだ。

常盤屋先代は、什器《じゅうき》と軸にはカネを惜しんでいなかった。離れには、雪舟の軸がかけられている。器は伊万里焼と漆器である。什器と軸とを合わせれば千両の桁《けた》になる。もしものときにはこれらを焼失しても仕方がないと、治左衛門は肚《はら》をくっていた。日常使うものを、蔵に収めることはできない。

しかしひな飾りは別である。

年に一度飾り付けて、秋菜がよろこべば治左衛門には満足である。どのような仕上がりになるかは分からないが、世にふたつとない拵えを頼んであった。

二年三カ月を要して仕上がる蔵の普請代が、千六百七十三両。ひな飾りは、おそらく二千両を超えると治左衛門は胸算用していた。

土蔵よりも値が高い、ひな飾り。

利に厳しい大店の商人には、及びもつかない所業に映ることだろう。しかしひな飾りの費えを稼ぎ出した元は、秋菜だと思っている治左衛門は、幾らかかろうとも気にも留めなかった。

ひな飾りを火事で失わないように……。

治左衛門の思いは、これに尽きた。音羽町から移らないと決めた限り、娘のひな飾りを守るためには、頑丈な蔵普請しかなかった。

元禄十四年の一月に、ひな飾りに先駆けて蔵が仕上がった。

ひな飾りは元禄十四年の立春の日に、荷車三台に乗せて運ばれてきた。

門前仲町を出た桐箱《きりばこ》は、佐賀町河岸まで車で運ばれた。船着場には、常盤屋の屋根船が待っていた。そこから海賊橋たもとまでは船を用い、陸《おか》にあがったあとは三台の荷車で常盤屋まで運んだ。

人形の到着を、治左衛門は紋付姿で迎えた。

飾り一式を納めた桐箱が七十四個。奉公人たちも総出で出迎えた。この日のために新調した、真新しいお仕着せを着てのことだった。

人形屋敷は、紀文が普請を終えていた。

平屋であることと、外見が納屋《なや》風であるのは同じである。しかし、なかの造作すべてが一新されていた。土間が大きくなっており、焚《た》き口が三つのへっついが据えつけられた。流しも大きくなっており、煮炊《にた》きができるように調理道具も備わっていた。四十畳の広間に続いて、四畳半の小部屋がふた間構えられている。厠《かわや》も、人形屋敷のなかに拵えた。土間と座敷を広げるために、紀文は畑を十坪ほど潰《つぶ》していた。新左衛門が仕事場に使っていたときとの際立《きわだ》った違いは、土間から座敷までの高さを五寸低くしたことだ。秋菜が招くこどもの背丈を考えてのことである。それまでの座敷は、こどもには高すぎた。

秋菜のために、紀文はもうひとつ気配りを見せていた。人形屋敷の裏手に植えた桃の木である。毎年花を咲かせる丈夫な木を、紀文は三本植えていた。

ひな飾りが到着した二月四日は、常盤屋の庭では梅がつぼみを膨らませていた。桃には、まだ時季が早かった。

七十四個の桐箱は、ひとまず常盤屋の離れに積み重ねられた。どの箱にも『丸玄田中人形店』の箱書がされている。玄蔵が、公家《くげ》諸家に出入りしていた当時からの屋号だ。

箱書を見た治左衛門は、二年前の寄合を思い出した。

秋菜のひな飾り誂《あつら》えを思いつくまで、治左衛門は田中玄蔵に限らず、人形師のことはなにも知らずに過ごしてきた。

玄蔵に誂えを頼んでから、四カ月が過ぎた元禄十二年一月。前年九月の火事騒動がやっと落ち着いたことで、料亭仲間の寄合が催された。その席で治左衛門は、田中玄蔵の名を口にした。

「丸玄田中のことですか？」

となりに座っていた、両国橋西詰の料亭折り鶴《づる》のあるじが、場に不似合いな甲高い声で問いかけた。

「田中さんをご存知ですか」

「この稼業《かぎよう》にいながら、丸玄田中を知らないほうがどうかしています」

折り鶴があきれ顔を見せた。

多くの料亭では、玄関や客間に季節ごとの人形を飾っている。出自が材木商の先代は、人形ではなく、香木で季節感をあらわした。人形師の知識が治左衛門になくても、無理はなかった。

「丸玄の箱書があれば、値打ちがひとけた上がるといわれています。よほど顔の利《き》くひとが、常盤屋さんをつないだんでしょうなあ」

折り鶴のあるじの口調には、隠し切れないやっかみが含まれていた。

玄蔵は、治左衛門が箱を開く前に帰って行った。三千両もの費えが投じられた人形である。本来であれば、ひとつずつ箱から取り出して、客に仕上がりを確かめさせるところだ。

ところが玄蔵は、内裏雛《だいりびな》すら取り出して見せることもせずに帰った。それほどに、仕上がりには自信を持っていたのだろうし、玄蔵の矜持《きょうじ》のあらわれともいえた。

ひな飾り一式とは別に、ふたつの箱が治左衛門に手渡された。

ひとつは漆塗りの文箱《ふばこ》である。なかには、目録が納められていた。

取り出した目録を膝元《ひざもと》に置いた治左衛門は、いまひとつの箱のふたに手をかけた。なにも箱書がされていない桐箱である。ふたを取ると、なかにはうぐいす色の薄葉紙《うすようし》が詰まっていた。

書画骨董品《こっとうひん》を傷《いた》めぬようにくるむ紙である。

薄葉紙二十〆《しめ》、二千枚也。

箱書と同じ筆文字で、中身が書かれていた。

「桐箱の数は当たったたか？」

「七十四個と、旦那《だんな》様の膝元のふたつです」

車力《しゃりき》のかしらが、間をおかずに答えた。

「数は目録通りだ」

立ち上がった治左衛門は、積み重ねられた桐箱を見渡した。

「このまま、裏手の平屋に運んでくれ」

十二人の車力たちが、桐箱を運び始めた。常盤屋の紋が染め抜かれた、黒羽二重の半纏《はんてん》を着ている。陽を浴びて、極上物の黒羽二重が艶々《つやつや》と光っていた。

八

常盤屋の庭と畑地とは、竹囲いで分けられている。だいこんを採り終わった畑の畝《うね》には、まだ作物が植えられていない。

二月二十日の四ツ(午前十時)前。春に向かいつつある陽が、土だけの畝と、畑地に建てられた人形屋敷の萱葺《かやぶ》き屋根を照らしていた。

ひな人形の初飾りは、この日の朝四ツからと決まっていた。治左衛門、吉野、秋菜の三人で深川の富岡八幡宮に参詣《さんけい》し、日柄を定めてもらってのことだった。

初めてひな人形が見られる秋菜は、嬉《うれ》しくて夜明け前に起き出した。そして吉野をせっついて、五ツ（午前八時）過ぎには髪を桃割れに結ってもらった。

四ツにはまだ間があったが、待ち切れない秋菜はひとりで先に納屋《なや》に向かった。さりとて両親を差し置いて土間に入ることはせず、陽の当たっている畑で、日向《ひなた》ぼっこをして待っていた。

治左衛門と吉野は、四ツの鐘が鳴り終わったところで納屋にやってきた。日ごとに春めいてはいるが、土間にはまだ冬の名残が居座っている。暖をとるための火鉢がふたつ、座敷の隅に置かれていた。

四十畳間の壁際《かべぎわ》には、奉公人たちの手で、すでに四段のひな壇が造られている。明り取りから差し込む陽が、壇に敷かれた毛氈《もうせん》の緋色《ひいろ》を際立たせていた。

ひな壇の幅は三間五尺。その真ん中に秋菜が座っている。治左衛門と吉野が、こどもを挟んで座った。

座敷に詰めた奉公人の一礼を受けてから、治左衛門が目録を開いた。飾り付けの始まりである。

「内裏雛《だいりびな》一対、四箱……」

「ございます」

治左衛門が読み上げると、即座に奉公人が桐箱《きりばこ》を開いた。内裏雛だけで、桐箱が四箱である。男女の雛人形が、それぞれ箱をひとつ。三個目の箱には『上畳』と箱書がされている。ふたを取ると、青々とした畳が出てきた。

形は人形に合わせて小さく縮められてはいるが、拵《こしら》えはまぎれもなく畳である。畳《たたみ》縁《べり》には錦《にしき》が用いられていた。

四箱目は『褥《しとね》』だった。上畳の上に敷く、綿入の敷物である。表は唐綾《からあや》で、赤地錦の縁が四方に差し回されている。二枚の褥は裏にも絹を用いて、本物と同じ細工がなされていた。

緋毛氈の敷かれたひな壇は、奥行きが五尺もある。上畳と褥は、段の奥行き半分を占める拵えである。小さなこどもなら、そのまま座れそうな大きさだった。

対の内裏雛は、都にござる帝《みかど》もかくやと思わせる、優雅な顔である。西陣織の衣装が、人形をこのうえなくみやびやかに装《よそお》っていた。

治左衛門もこの朝初めて、玄蔵の拵えた内裏雛と、その飾り用具を目にした。七十四個の桐箱のうち、わずかに四箱を開いたのみである。それなのに、拵えの見事さにすっかりこころを奪われていた。

目録によれば、雛人形と、その飾り用具だけで十三箱となっていた。

無地金六曲雛屏風《びょうぶ》　一双一箱。

三人官女　一揃《そろい》一箱。

子供五人囃子《ばやし》　一揃一箱。

随身　一対一箱などなど。

箱が開かれるたびに、奉公人からため息が漏れた。田中玄蔵に三千両の代金を支払ったのは、常盤屋のだれもが知っていた。五人囃子のこども一体の代金が、生涯の給金を上回るかもしれないのだ。

褥一枚が幾らになるのか。

六曲金屏風一双で、長屋の店賃《たなちん》数十年分に相当するのではないか。

雛人形にまつわる十三箱だけで、平屋造りの家なら、いったい何軒が建てられるのか。

思うまいとしても、下世話なことに思案が走ってしまうのだろう。ため息を漏らすのも、無理はなかった。

十三箱を飾り終わったときは、すでに昼を過ぎていた。

「ていねいに飾ってもろうたら、人形たちも喜びます。奉公人はんらに手つどうてもろても、丸二日はかかるやろ思います」

納めの帰り際に、玄蔵はこう言い置いた。

飾り始めて見て、玄蔵の言ったことは大げさではなかったと、治左衛門は知った。

昼餉《ひるげ》は、納屋のへっつい開きとなった。

秋菜のひな飾りを祝って、あずきがゆが調えられた。かゆを食べ終わったあとのへっついには、甘酒の大鍋《おおなべ》が載せられた。

三月三日には、秋菜の手習い仲間を招いてのひな祭が催される。かゆと甘酒は、その日に備えての試しでもあった。

陽がかげり始めた七ツ（午後四時）に、ひな壇の雪洞《ぼんぼり》にろうそくが灯《とも》された。人形飾りの雪洞とはいえ、五十匁《め》ろうそくが灯せる大きなものだ。木枠は春慶塗《しゅんけいぬり》の仕上げで、紙は別漉《べっす》きの美濃薄紙である。

この雪洞一対だけで、十五両。小さな細工物だけに、常盤屋が客間で使う本物の雪洞に比べて、十倍の高値である。極上品の春慶塗雪洞でも、二両はしなかった。

造花の桜、橘《たちばな》も見事な拵えである。

花びらのひとひらずつが、別染めの絹で作られている。雪洞の明かりに照らし出された桜は、春に咲く本物よりも桜らしく見えた。

すべてを飾り終えるには、二月二十三日の昼までかかった。玄蔵の見積もりは、飾り段取りまでも内輪に過ぎた。

空になった桐箱と、人形をくるんでいた薄葉紙《うすようし》は、ふた間の四畳半に片付けられた。三間五尺幅のひな壇四段が、細部まで手を抜かずに拵えられた細工物で彩《いろど》られた。幅広いひな壇の半分以上を占めるこれらの什器類《じゅうき》は、いずれも大名の婚礼道具を模したものである。

「どれも、本物同様につこうてもらえます」

玄蔵は拵えの確かなことを請合った。その言葉には、いささかの間違いもなかった。間違いがないどころか、仕上げの見事さを、玄蔵はごく内輪に口にしただけだった。

飾りを見て、治左衛門はそれを思い知った。

碁盤は樫《かし》の木目を活《い》かして作られている。盤面の墨線は、手で触ると盛り上がっているのが伝わってきた。碁石は黒が那智黒《なちぐろ》で、白は薩摩《さつま》のはまぐりから削り出したものである。盤を石で打つと、パシッと乾いた音を発した。

遊び道具は碁盤のほかに、将棋盤と双六《すごろく》盤とが拵えられていた。もちろん将棋には駒《こま》が、双六には駒とサイコロが備えられていた。

どの道具も、遊びたければ本物同様に楽しむことができる。碁石、将棋の駒、双六の駒とサイコロは、なくしたときのことを考えて、それぞれ一組の予備までが用意されていた。

大名の乗物、公家《くげ》の牛車《ぎっしゃ》は、いずれも漆塗りの金蒔絵《きんまきえ》仕上げである。蒔絵は、公家御用達《ごようたし》の蒔絵師が、一年がかりで描いたものである。京で仕上がったあと、玄蔵は駕《か》籠《ご》を仕立てて江戸まで運ばせた。公家御用達の人形師ゆえに、成し遂げられたことだろう。

文机《ふづくえ》に載った硯《すずり》も筆も墨も、すべて本物同然である。机の端には、料紙に短冊《たんざく》までが置かれていた。

そしてすべての什器には、抱茗荷《だきみょうが》の金紋が鮮やかに描かれていた。


三月三日を見はからったかのように、紀文の植えた桃が花を咲かせた。この朝早くに治左衛門は、咲き加減のよい枝を五本手折り、桃の花でひな壇の両端を飾った。

秋菜は日本橋大店《おおだな》の女児、十七人を招いた。いずれも、乳母が供をしてくることもばかりである。

畑地に建つ納屋に案内されたとき、どの乳母も顔をしかめた。ところが土間に一歩を踏み入れるなり、だれもが腰を砕きそうにして驚いた。

乳母たちは、お招き返しの手土産を持参していた。多くは干菓子や白酒のたぐいである。納屋の拵えとひな飾りを見たあとでは、土産を差し出すのに気後れしたような顔を見せた。

それをうまくさばいたのは、ひとあしらいに長《た》けた、常盤屋の仲居たちだった。互いに、お店《たな》の奉公人同士である。乳母に気まずい思いをさせぬように、手土産をありがたく受け取った。

この日のひな祭は、いわば秋菜のお披露目である。娘の晴れ姿を見たくて仕方のない治左衛門だが、納屋に入るのはご法度《はっと》だと吉野に戒められていた。

それでも我慢のできない治左衛門は、明かり取りの外から様子をうかがっていた。吉野にきびしくしつけられている秋菜は、三千両のひな飾りを前にしても、驕《おご》った振舞いには及ばなかった。

あずきがゆと甘酒とを、秋菜は仲居と一緒になって客に運んだ。その姿を見て、座敷の隅で待っている乳母たちが、感心したような目を見交わした。

こどもたちへの振舞いに用いた器も、玄蔵が納めたひな飾りの一部である。多くの来客にも応じられるように、椀《わん》・皿・箸《はし》などを載せた会席膳《かいせきぜん》は、二十客が調えられていた。

こどもたちが常盤屋を出たのは、七ツを過ぎていた。

乳母たちは早く帰るようにとせっついたが、どのこどもも納屋から出るのを渋った。雪洞の明かりがはっきりと分かるようになったころ、いやいやをしながらこどもが帰り支度を始めた。

吉野と秋菜は、常盤屋の玄関先で招待客と乳母とを見送った。秋菜が用意した引き出物は、室町二丁目の小間物屋永妻屋で選んだ、赤い珊瑚《さんご》の髪飾りだった。

何人かのこどもは、それを髪に差して帰って行った。

手習い仲間がひな飾りに陶然となって見入っていたことが、秋菜にはたまらなく嬉しかった。こどもながらに、治左衛門が途方もないカネを人形造りに費やしていると、わきまえていたからだ。

だれもが、内裏雛の衣装に見とれた。五人囃子の鼓《つづみ》や笛が、ほんとうに鳴るのを知って目を丸くした。

「鉄漿《おはぐろ》の道具までついている……」

大名の嫁入り道具に触れた子が、歓声をあげた。仲間が驚けば驚くほど、秋菜はこれを誂《あつら》えた父親の愛情の深さを知った。

ひな飾りの片付けには、翌日からふたりの奉公人があたった。

飾り道具の一点ずつを、薄葉紙でくるみ、桐箱に納める。飾り付けよりも、片付けのほうが、数倍のときを要した。

三月十四日に、播磨《はりま》赤穂《あこう》藩主浅野長矩《ながのり》が、殿中において吉良《きら》義央《よしなか》に刃傷《にんじょう》に及んだ。騒動はその日のうちに江戸中に知れ渡り、武家も町民も、その話を声高に交わした。常盤屋の納屋だけは、その騒ぎから取り残されていた。片付けにあたる奉公人ふたりは、日暮れまで黙々と飾り物を薄葉紙でくるんでいた。

九

宝永七（一七一〇）年の正月で、秋菜は十六歳になった。

「今年からは、より厳しいお師匠さんについて、踊りと三味線のお稽古《けいこ》をつけていただきましょうね」

雑煮を祝いつつも、吉野は娘にわざときつい物言いをした。秋菜は照れ笑いのような、助けを求めるような顔を治左衛門に向けた。

治左衛門は空咳《からぜき》をして、椀《わん》の餅《もち》を口に運んだ。母娘《おやこ》のやり取りには、加わりたくなかったのだろう。

十五歳を過ぎたあたりから、秋菜は日ごとに美しさを増していった。きれいどころを見飽きているはずの紀文が、盃《さかずき》を膳《ぜん》に置いたまま、見とれたほどである。

昨年秋口には、紀文は本気になって、幕閣に名を連ねる武家長男との縁談を勧めた。

「いかに紀文さんのお話でも、それだけは受けるわけにはいきません」

厄年を翌年に控えた治左衛門は、相手を気遣いながらも誤りを与えぬ口調で断わった。

治左衛門は秋菜に婿《むこ》取りをする気である。

そのことは、吉野も秋菜も承知だった。常盤屋を継いで三代目女将《おかみ》になることが、秋菜に定められた道のりだと、母も娘もわきまえていた。

それゆえに、吉野は秋菜の芸事稽古に厳しくなっていた。

踊り、三味線、茶の湯に生花。

これを修めるのは女将のたしなみであると、吉野は初代女将にしつけられていた。祝言《しゅうげん》から間もなく二代目に就かざるを得なかった吉野は、走りながらの稽古を続けた。その苦しさが分かっているだけに、秋菜にはいまのうちから身につけさせておきたかったのだろう。

ところが秋菜は、稽古に身が入らなかった。

いずれは三代目に就くとはわきまえていたが、その日はまだまだ先だと思い込んでいるようだ。

そんな娘を案じたらしく、吉野は元旦《がんたん》の祝い膳でことさらきついことを口にした。

「あなたからも秋菜をたしなめてください」

真顔の吉野を見て、治左衛門が居住まいを正した。

「町奉行を務められたお旗本の次男様が、婿入りをしてもいいといわれたそうだ」

「紀文のおじさまのお話でしょう？」

治左衛門の話を秋菜が引き取った。

「紀文さんは、もうお前に話したのか」

「今月の二十日にお見合いをしてみないかって……暮れにこの話を聞かされたときは、おとうさまもご一緒だったのに」

「そうだったかなあ……」

治左衛門が薄くなってきた髪に手を当てた。秋菜が笑いかけると、治左衛門も笑顔で応じた。娘をたしなめるように頼んだ吉野だけが、わずかに眉根《まゆね》を曇らせていた。

秋菜の見合いを二日後に控えた、宝永七年一月十八日の昼九ツ半（午後一時）。神田柳原から出火した。朝から吹き荒れていた強い北風にあおられて、火はまたたく間に日本橋にまで燃え広がってきた。

「慌《あわ》てなくてもいい。客間の軸と漆器だけは蔵に運びなさい」

日本橋一帯の半鐘が、どこも擂半《すりばん》を打ち鳴らしているなかで、治左衛門は深みのある声で奉公人に指図を下した。そしてみずから刺子半纏《さしこばんてん》に着替えると、風向きと火の勢いを見定めようとして庭に立った。

火勢は、治左衛門の読みを大きく超えていた。神田川のあたりから、火の粉が弾《はじ》ける音が聞こえてくる。それに重なるようにして、焦《こ》げ臭いにおいが鼻をつくようになった。

吉野も秋菜も、火事装束である。

「大事な身の回りの品を屋根船に乗せて、深川の紀文さんをたずねなさい」

「あなたはどうなされるのですか」

吉野の顔がこわばっていた。

「たとえ火が防げなかったとしても、常盤屋の行く末を見定めるのはあるじの務めだ。危ないことはしないから、案ずることなく紀文さんのところで待っていなさい」

渋る母娘を、治左衛門は常盤屋から無理やり追い出した。

吉野たちが出て行って四半刻《しはんとき》を過ぎたころ、常盤屋の庭に火の粉が舞い落ち始めた。昼火事のため、火の勢いがいまひとつ分からないでいたが、火の粉を浴びて治左衛門は肚《はら》をくくった。

蔵の前では、奉公人たちが目を血走らせて什器《じゅうき》を運び込んでいた。

「そこまでにしなさい」

蔵のなかで治左衛門が大声を発した。

奉公人の動きが止まった。

「火を避けるのはむずかしそうだ。おまえたちも、すぐさまここから逃れなさい」

治左衛門が指図しても、だれも蔵から出ようとしない。目の前に立っていた女中の背中を、治左衛門は力任せに押した。女中が蔵から押し出された。

「あとの者も、さっさと出るんだ」

治左衛門が大声で怒鳴った。その声で、やっと奉公人が動いた。

ひとり残った治左衛門は、蔵の奥に仕舞われている七十四個の桐箱《きりばこ》を確かめた。そして蔵を出て、錠前をかけた。

庭に立つと、目をあけているのがつらくなるほどに、煙が流れてきた。火の粉も方々から飛んでくる。

なんとか火から逃れられないか……。

ここまで、万にひとつの望みを託していた治左衛門だったが、火の粉の凄《すさ》まじさを見て諦《あきら》めた。

諦めると、肩が落ちた。

うなだれたまま、畑地のわきを通って納《な》屋《や》の前に出た。

ひとの気配のしない四十畳座敷は、その広さがむなしく見えた。なにごともなければ、この座敷で秋菜が見合いをするはずだった。秋菜には、どこよりも人形屋敷での見合いを望んでいたからだ。そして三月には、十回目のひな飾りが、座敷をにぎわすはずだった。

その夢が潰《つい》えた。

秋菜に代わり、この納屋の最後を見届けてやろう……治左衛門はそう決めた。

しかし迫り来る火勢は、治左衛門の想《おも》いをあざわらうかのように、強さを増している。

「旦那様《だんなさま》、ご一緒に逃げてください」

下足番が刺子半纏の袖《そで》を、力いっぱいに引っ張った。なすすべもなく、治左衛門は納屋をあとにした。

宝永七年の火事で、常盤屋は丸焼けになった。人形屋敷も焼け落ちた。

しかし治左衛門は素早く立ち直った。

「いつまでも、焼けたものを悔やんでいても仕方がない」

火事に遭った翌日には、治左衛門は先を見る目つきになっていた。

焼け跡始末が片付いたのは、奇《く》しくも立春の日であった。

「それにしても、治左衛門さんが普請《ふしん》させた蔵は見事なものだ」

一面が焼け野が原になった音羽町に立って、紀文が感心したようにつぶやいた。

常盤屋の蔵は、壁を焦がしただけで中の品は無傷で残った。一尺五寸の壁土が、日本橋界隈《かいわい》を焼失させた猛火から、ひな飾りを守り抜いた。

このことが、治左衛門を大きく元気づけた。ひな飾りの無事が、常盤屋にいい縁起をもたらせると確信できたがゆえのことだった。

治左衛門が気落ちしていないことを見て、紀文がだれよりも喜んだ。

「材木の手配りから普請まで、一切をあたしが請負います」

常盤屋再建を紀文が引き受けた。

常盤屋の蓄えは、七万両を超えていた。治左衛門は、焼失した建物を上回る拵《こしら》えにして欲しいと頼んだ。畑地わきの、人形屋敷普請も申し添えた。

「前と同じように、納屋の普請はあたしから秋菜ちゃんへの進物にさせていただきたい」

十六歳になった秋菜を、世の中でただひとり、紀文だけがちゃんづけで呼んでいた。旗本次男との縁談は、常盤屋が立ち直るまでは見合わせることになった。事情が事情だけに、常盤屋も旗本もそれを了とした。

紀文は常盤屋普請を、宝永八年の二月末までには仕上げると請合った。そして深川冬木町に、治左衛門一家の仮住まいを用意した。

紀文の屋敷には幾らでも空き部屋があったが、治左衛門の体面を重んじてのことだった。

秋菜はことあるごとに、常盤屋の普請場をおとずれた。屋根船は無事だったことから、天気の思わしくない日は船で出向いた。

普請のはかどり具合を見続けているうちに、秋菜は大工の貞次郎が気になり始めた。

背丈は五尺三寸（約百六十センチ）で、秋菜より一寸ほど高かった。深川黒江町の裏《うら》店《だな》からの通い大工で、歳《とし》は当時二十七歳だった。日焼けした顔と、太い腕に厚い胸板をした貞次郎は、秋菜がこれまで見たことのない類《たぐ》いの男だった。

常盤屋の三代目女将として育てられてきた秋菜は、職人と口を利《き》く折りなど、ここまで皆無だった。

格別になにを話すわけでもなかったが、普請場で貞次郎を見かけると、秋菜の胸がときめいた。貞次郎もおなじらしく、秋菜を見かけたら、かんなを使う手つきが勢いを得た。

さりとて、行く末が実る想いではない。それをわきまえているだけに、秋菜は息苦しくなった。

吉野にも治左衛門にも気づかれなかったが、紀文は秋菜の想いを見抜いていた。

「こればかりは、あたしも口添えのしようがない」

宝永八年一月初旬には、常盤屋があらかた仕上がり、あとは指物職人や左官の仕上げとなった。紀文が秋菜の想いを言い当てた翌日、普請場から貞次郎の姿が消えた。

秋菜も淡くてほろ苦い想いにふたをした。

一月十八日から、屋根瓦《やねがわら》の職人が入った。火事で丸焼けになってから、丸一年目のことである。

「一年でここまで来ることができた。あとひと息で音羽町に帰ることができる」

治左衛門は屋根普請が始まったことを、大いに喜んだ。父親の嬉《うれ》しそうな顔を見て、秋菜は貞次郎への想いに、もう一度しっかりとふたを閉じた。

一夜明けた、宝永八年一月十九日。

八ツ（午後二時）過ぎに、日本橋和泉町から出火した。霊巌島まで燃え広がった火は、仕上がり目前の常盤屋をふたたび灰にした。

「大事なものを、玄関先に残してしまいました」

治左衛門と一緒に、屋根普請の進み具合を見ていた吉野は、虚《うつ》ろな目をしてこれを口走った。そして治左衛門の手を振り切って、火の中に入って行った。

治左衛門はすぐに吉野のあとを追いかけた。四、五歩を駆けたところで、いきなり立ち止まった。

目は吉野でも燃える屋敷でもなく、虚空《こくう》を見つめている。あたかも、この場にはいない秋菜を想っているかのようだった。

が、ふうっとひとつ深い息を吐いたあとは、目と足とに力が戻った。

治左衛門は落ち着いた足取りで、吉野を追って火の中に入った。焼け跡には、重なり合ったふたりの骨が残されていた。

十

深川玄信寺の縁側に座った秋菜は、車力たちが運び込む桐箱《きりばこ》を静かに見詰めていた。ここに来る途中の屋根船のなかで、秋菜はなみだをこぼした。人目がなかったがゆえに、こぼれるままにした。

いまは大勢のひとが、ひな飾りのことで立ち働いている。それで気が張っている秋菜は、あらたななみだをこらえることができていた。

ひな飾りは、亡父治左衛門が、秋菜のために拵《こしら》えたものだ。その次第は、治左衛門と吉野がともに没したあとで、紀文から何度も聞かされた。

「秋菜ちゃんがこころに想《おも》うひとがいれば、あたしがどんな仲立ちでもする」

秋菜が伴侶《はんりょ》を得ることが親への供養《くよう》だと言って、いつも紀文は話を締めくくった。

ひな飾りが、本堂の隅に積み重ねられていた。それを見ていると、なみだがこらえきれなくなりそうで、秋菜は庭に目を移した。

もう一度、常盤屋を始めるだけの蓄えは治左衛門が残してくれている。しかし、両親を一度に失った痛手から立ち直れなくて、秋菜は二度目の火事から五年を、ひとりで過ごしてきた。

蔵は、二度目の火事からもひな飾りを守ってくれた。が、とても飾る気にはなれなかった。なにをしていても、どこにいても、秋菜は無傷で残っているひな飾りを思った。

そして治左衛門を思い出した。

この五年間は、蔵に仕舞ったままのひな飾りに、縛り付けられたような暮らしだった。

「手元からひな飾りを放さない限り、秋菜ちゃんは立ち直れないぞ」

今年の正月、紀文は肚《はら》を決めたような顔で秋菜を諭した。どれほど秋菜がひな飾りを大事に思っているか、だれよりも分かっている紀文が、あえてそれを口にした。

聞かされた当初は耳をふさいでいた秋菜だが、次第に紀文の言い分が呑《の》み込めた。

あれだけの雛人形《ひなにんぎょう》を誂《あつら》えておきながら、治左衛門は投じた費えのことを口にしなかった。

「嫁ぎ先でも、三月に飾ることができれば何よりだが……」

秋菜を見詰めながら、これしか言わなかった。ひな飾りは、大事な嫁入り道具のひとつである。が、治左衛門はそれすらも口にしなかった。

「秋菜ちゃんの拵えを上回る雛人形は、世にふたつとないだろう」

治左衛門の代わりに、紀文が自慢をした。大尽ではあっても、紀文は成り上り者である。人形造りと蔵の普請《ふしん》にどれほどの大枚を投じたか、あけすけに金高を口にしたりもした。

それを耳にすると、治左衛門は眉根《まゆね》を曇らせた。何千両かかっていようが、治左衛門にはカネのことは意識にはなかったからだろう。

娘のためにしたことを、カネに置き換えられるのを心底から嫌っていた。

その思いを察したあとは、紀文は費えの話を口にしなくなった。

おとうさまが望んだのは、ひな飾りではなかった。ひな飾りを見て喜ぶ、あたしの顔が見たかった……。

飾りもせずに仕舞っていることが、なによりも哀《かな》しいに違いない。おとうさまの供養には、あたしがもう一度、お雛さまを飾る気になること。そして……。

あとに続く言葉を、そのときは胸の奥底に押しとどめた。それでも、父親の気持ちを汲《く》み取ることができたと感じて、ふさいでいた秋菜の気持ちが軽くなった。

玄信寺の住持に相談を持ちかけたところ、寺で預かってもいいといわれた。

「年に一度、本堂に飾って檀家《だんか》のみなさんにご披露いたしましょう。それが治左衛門殿と吉野殿への、なによりの手向けでござろう」

秋菜は住持の申し出を受け入れた。そして、治左衛門が迎えたときと同じ作法で、ひな飾りを深川に運んだ。

白無垢《しろむく》を着たのは、ひな飾りの嫁入りだと思ったからである。

さまざまなことを思い返しているとき、陽がかげった。立春の暖かさが急ぎ足で退《ひ》いた。身体《からだ》に震えを覚えた気がした秋菜は、なんの気なしに本堂前の庭を見た。

すいかずらが庭の隅に植えられていた。

真冬の雪に遭っても葉をしぼませないことで、忍冬《すいかずら》の名が付けられている。

正月から何度も大雪が降った。その雪と、真冬の寒さをくぐりぬけたすいかずらの葉は、陽がかげったというのに元気な緑色を見せていた。

見るともなしに見た庭である。

物思いを繰り返していなければ、すいかずらに気づかなかった……。

冬が去り、春の入口で秋菜は忍冬に出会った。それも、ひな飾りを寄進にきた菩提《ぼだい》寺《じ》の庭で、である。

秋菜は静かに立ち上がった。

紀文さんに会って、貞次郎さんのことをたずねてみよう……。

貞次郎を最後に見た日から、すでに五年が過ぎていた。

ご縁があるなら、会えるはず。

忍冬を見たことで、秋菜はなぜか、行く末に望みを託せそうな気になっていた。

雲が切れたのか、庭に陽が戻っていた。

＊作中のひな飾り詳細は、宇和島市立伊達《だて》博物館史料に基づきます。

芒種《ぼうしゅ》のあさがお

一

文化三（一八〇六）年六月二十八日の、朝六ツ（午前六時）。三日前に長かった梅雨の明けた江戸は、昇りくる朝日に勢いがあった。

いつもの年より十日も早く、五月下旬に居座った梅雨は、四十日近くも雨降りを続けた。明けても明けても、空にはべたっと分厚い雲が覆《おお》いかぶさる日が続いた。雲は午後に入ると、決まりごとのように雨を降らせた。

前日よりも空が明るそうに見えた朝は、江戸中の女房連中が町木戸の開く六ツから、洗濯を始めた。

「今日こそは、なんとかなりそうだからさあ」

「そういつまでも、天に水は残っちゃあいないわよね」

女たちは、半ば祈るようにして洗い物に励んだ。そして厚い木綿の亭主の股引《ももひき》や、こどもの着物を力いっぱいに絞り、物干しにつるした。雲に隠された陽光は届かなくても、風さえ流れてくれれば洗濯物は乾くからだ。

しかし空にかぶさる梅雨の雲は、風までも抑え込んでいた。五ツ（午前八時）になり、四ツ（午前十時）を過ぎても、五月二十日から六月二十五日までの空は、どんよりとしたままだった。町の隅々まで、湿り気たっぷりの気配に満ちており、洗濯物は一向に乾かない。

正午の鐘が江戸の町に流れると、待っていたかのように雲が動き始めた。そして最初はぽつり、ぽつりと、様子見をするかのように雨が降り出した。慌《あわ》てた女房連中が、まだ生乾きの洗濯物の取り込みに動き出す。雲はひとの動きを見定めてから、本降りの雨を落とした。

これを三十五日も繰り返した。そのあとに来た梅雨明けである。

雲に抑えつけられた日々を取り返そうとするかのように、六ツの陽は威勢がよかった。天道《てんとう》のありがた味を思い知った女房連中や仕事に出かける職人たちが、江戸の町の方々で朝日に両手を合わせて拝んだ。

六月二十八日の朝六ツ。

芝田町三丁目の浜にも、朝日の光が届いていた。目の前は海で、陽は南の品川沖から昇っている。町中よりも天道に近い分だけ、朝日の届き方には力があった。

田町三丁目の酒屋、伊勢屋あるじの徳蔵《とくぞう》は、まだ雨戸を閉じている店先に縁台を出して、朝の海を眺めていた。

せわしなく、立て続けに煙草《たばこ》を吹かしている。徳蔵は、さほどの煙草好きではない。一日に二十回もキセルを使えば、口の中がヤニ臭くなると、自分でこぼす程度の煙草のみだ。

しかしいまは、一服吸い終わると火のついた刻み煙草を手のひらに落とし、次の一服の火種に使うという吸い方を続けている。

徳蔵は、抑えようのない焦《じ》れを煙草でごまかしていた。

夜中に産婆《さんば》がきてから、かれこれ一刻半《とき》(約三時間)になる。が、まだ連れ合いのおてるのお産は続いている。徳蔵の焦れは、おてるのお産が手間取っていたからだ。

おてると祝言《しゅうげん》を挙げたのは、六年前の寛政十二(一八〇〇)年。徳蔵二十八歳、おてる十七歳の五月である。

徳蔵の両親《ふたおや》は、ひとり息子が祝言を挙げた三年後に、夫婦連れ立って在所の伊勢松阪に引っ込んだ。

「身体《からだ》がいうことをきくうちに、わしらは在所に戻る。あとはおまえが好きにしなさい」

徳蔵は三十一の若さで、酒屋のあるじにおさまった。北品川の漁師村から嫁いできたおてるは、徳蔵を助けて酒屋を守り立てた。舅《しゅうと》も姑《しゅうとめ》もいない気安さに、おてる生来の明るい気性が加わり、四間間口《よんけんまぐち》の伊勢屋は大いに繁盛《はんじょう》した。

商いはうまく営めたが、子宝には恵まれないままに文化元年を迎えた。それまでの享和《きょうわ》の年号が、二月十一日に文化と改められた。

「年号が変わるのは縁起がいい。ことによると、うちにも子宝が授かるかもしれない」

「そうだと嬉《うれ》しいけど……」

「だいじょうぶだ。おれもおまえも、まだこんなに若いじゃないか」

女房に固くなった一物《いちもつ》を握らせて、徳蔵は子作りに励んだ。

文化二年の八月十五日。

この日は月見酒を求める客が押し寄せて、夜の五ツ（午後八時）過ぎまで店を閉められなかった。徳蔵が店の雨戸を閉じようとしたのは、五ツ半（午後九時）も近いころだった。

「あなた、見て……十五夜のお月様」

店先の砂浜の真上に、大きな月が昇っていた。客あしらいに追われて、ふたりとも月を見るひまがなかった。

雲ひとつない夜空の真ん中に、堂々とした満月があった。周りに散った星は、この夜は月の従者でしかなかった。

「お店《たな》の前で、お月見をしましょう」

おてるは手早く燗酒《かんざけ》二本をつけ、ネギを刻んだ玉子焼きをこしらえた。

「月見に玉子焼きかよ」

「あなたの好物でしょう?」

「それはそうだが、なにも月見酒で食べることもないだろう」

「わけが、あ・る・の」

徳蔵の耳元で、赤ん坊がおなかにいると打ち明けた。

「なんだとう」

商人《あきんど》の徳蔵が、職人のような物言いをした。

「赤ちゃんがおなかにいるの」

おてるが、はっきりとした言葉で告げた。

「でかした、おてる!」

「お祝いだから、あなたの好物を作りたかったの」

「それでいつだ」

「来年の六月だって」

「そうか……六月か……」

立ち上がった徳蔵は、満月に手を合わせて礼を伝えた。月を拝んだあと草履《ぞうり》をその場に脱ぎ捨てて、夜の砂浜を走り回った。

満月の明かりが、両手を差し上げて砂浜を走る徳蔵をくっきりと浮かび上がらせた。

おてるのそばに駆け戻ったときには、すっかり徳蔵の息があがっていた。

「お酒を呑《の》んだあとで走るなんて、無茶をしないで」

「まだ一合も呑んでない」

「それでも気をつけて……おとっつあんになるんだから」

「おとっつあんか」

徳蔵は、その言葉を噛《か》み締めた。

「六月に生まれるなら、産着《うぶぎ》はあさがお柄にしよう」

「そんな産着があるわけないでしょう」

「なければ誂《あつら》えたらいい。男でも女でも、着せる浴衣《ゆかた》はかならず、あさがお柄にする」

満月の光が照らし出す徳蔵の喜び顔を、おてるがやさしいまなざしで見詰めた。

「今朝はまた、ずいぶんとはええじゃねえか。なにかいいことでもあったのかよ」

朝日を浴びて煙草を吹かしている徳蔵に、漁師の信助が声をかけた。梅雨が明けたことで、漁師もすこぶる機嫌がいい。

「もうすぐ生まれそうなんだ」

「えっ……徳さん、今朝だったのかよ」

「夜中から、産婆がつききりになってるが、まだ生まれない」

キセルをぷっと吹いて、徳蔵は手のひらで煙草を受けた。煙が出ている煙草を手のひらに載せたまま、新しい一服を詰めている。

「徳さんの歳《とし》で、それができるのかよ」

信助が言う通り、年季の入った煙草のみしかできない手つきである。徳蔵は黙ったまま、キセルに詰めた。

そのとき。

「おい、徳さん……」

「おれにも聞こえた」

キセルを放り投げた徳蔵は、土間に飛び込んだ。小さかった赤ん坊の産声《うぶごえ》が、いまははっきりと信助にも聞こえていた。

「女か男か、どっちでえ」

信助が問いかけても返事がない。

「しゃあねえなあ、舞い上がっちまってんだろう」

ぶつくさ言いながら、信助は伊勢屋の土間に足を踏み入れた。

座敷の障子戸がガラッと開いて、声を詰まらせた徳蔵が顔を出した。

「どっちでえ」

「おんなの子だ」

敷居の前に徳蔵がしゃがみ込んだ。

「おっきくて、かわいくて……」

腑《ふ》抜《ぬ》けのような顔を信助に向けた。

「あんなに男を欲しがってたのによう。いいのかよ、徳さん」

信助がからかった。

「授かった赤ん坊だ。男も女もない」

むきになった徳蔵が、潮焼けした漁師を睨《にら》みつけた。

「なんでえ、そいつあ。むきになることもねえだろうがよ」

「うちのは田町一番の女の子だ。軽口はよしてくれ」

「なんてえやろうだ」

信助は笑いをかみ殺した顔で土間から出た。

「もう親ばかをやってやがるぜ」

浜に戻る前に、信助はもう一度伊勢屋のなかを振り返った。徳蔵は同じ形のまま、敷居の前にしゃがみ込んでいた。

「徳さんよう」

徳蔵が顔を上げた。初めての子を授かった喜びで、目が定まってはいない。

「ここいらじゃあタイはあがらねえが、祝儀の魚《うお》を獲《と》ってくらあ」

信助が大声で伝えても、徳蔵の耳には聞こえていないようだった。

二

こどもが生まれて、徳蔵は気持ちがふわふわして落ち着かない。ひとの話すこともちゃんとは聞かず、店は開いたものの商いにならぬままに夕暮れを迎えた。

「徳蔵さん、ちょいと……」

信助の女房に二度呼びかけられて、徳蔵がやっと顔を向けた。

「うちのがいま帰ってきてるけど、ちょいと徳蔵さんに来て欲しいって」

手招きされた徳蔵は、漁師の女房と連れ立って砂浜に向かった。

夏の夕日が、江戸城の方角から田町の海に光を投げていた。その赤い陽を一杯に受けて、信助の帆掛け舟が海から浜に寄りつつあった。

「徳さん、いいのが上がったぜ」

夕日を浴びる白帆の前で、信助が大きなスズキをさげて見せた。えらの尖《とが》ったスズキは、持ち方をあやまると手を切り裂かれてしまう。信助はまだ動いている魚を、慣れた手つきでぶらさげていた。

漁船の帆が夕日であかね色に染まっている。信助も同じ陽を浴びて、潮に焼けた顔があかがね色に照り返っていた。手にさげたスズキは、目の下一尺五寸はありそうで、まだビチビチッと暴れる元気が残っていた。スズキが暴れたら、ウロコが銀色に光った。

白帆の赤。

夕日を浴びた信助の顔のあかがね色。

スズキの銀色のウロコ。

夕日を照り返す海の、深みのある蒼《あお》。

夏の夕暮れどきが見せる眺めに、徳蔵は見とれた。この日初めて、しっかりと見た景色だった。

名前を決めた……。

徳蔵がしっかりした口調のひとりごとを漏らした。

文化三年六月二十八日の朝に生まれた女の子を、徳蔵は「おなつ」と名づけた。

生まれたときに八百匁《もんめ》（三キロ）もあったおなつは、四歳の夏には背丈が四尺三寸（約百三十センチ）にまで伸びていた。目方も六貫六百匁（約二十五キロ）もあったが、上背《うわぜい》があることで太っては見えない。

しかし浜の同い年の子に混じると、あたまひとつ飛び抜けていた。

「おまえは女の子なんだから、もう少しおとなしく遊びなさい」

五歳の正月膳《しょうがつぜん》を祝う席で、おてるはお年玉として、ままごと遊びの道具を買い与えた。

「あたいは、亀《かめ》ちゃんとおんなじ竹馬が欲しい」

暮れに尾張町まで出向いたおてるが、買い調えたままごと道具の包みだ。それをおなつは、開こうともしなかった。

「あなたからも言ってくださいよ」

おてるから頼まれても、徳蔵は笑って娘を見ているだけだ。

「あなたがそんなだから、この子があたしの言うことをきかないんです」

元日の朝から、おてるが顔をしかめた。

「いいじゃないか。まだ五歳だ」

「もう五歳、です」

おてるは譲らない。

「時季がくれば、おなつも女の子らしいことがしたくなるさ。いまはままごとよりも、亀吉や金太と一緒に、砂浜を走り回っているのが楽しいんだろう」

「それがいけないって言ってるんです」

おてるが真顔で徳蔵に嚙《か》み付いた。

「いまは真冬なんですよ」

「そんなことは分かっている」

「いいえ、分かっているもんですか」

祝い膳をわきにどけて、おてるは徳蔵と正面から向き合った。

「よそのどこの女の子が、真冬に着物の裾《すそ》をまくり上げて、砂浜を走り回っているというんですか。そんなことをしているのは、浜の男の子と、おなつだけです。五つになってもおかっぱのままの女の子が、江戸のどこにいるというんですか」

おてるはもちろん、いまが元日の朝だと分かっていた。それでも、溜《た》まっていた不満を徳蔵にぶつけた。

酒と醬油《しょうゆ》を商う伊勢屋が一年を通じて休めるのは、夏冬の藪入《やぶい》りと、正月三が日ぐらいだ。夫婦がこどものことでゆっくり話し合える日は、ほとんどなかった。

「あたい、みんなと浜で羽子突《はねつ》きして遊んでくる」

「待ちなさい、おなつ」

亭主と向き合ったまま、おてるがこどもを呼び止めた。

「おままごとの道具を、大事にしまっておきなさい」

おなつは、包みを抱えてから居間を出た。そして自分の部屋の隅に包みを置くと、晴れ着の羽織を脱ぎ捨てた。羽織を着ていると、身体《からだ》が好きに動かせなかった。

文化七年の元日、朝の四ツ（午前十時）過ぎである。

伊勢屋の前には、幅五間（約九メートル）の広い道が品川まで通っている。道を隔てた先には砂浜が広がっており、網干しの柵《さく》が何十と並んでいた。砂浜は、南品川の先の大井村までつながっている。浜には、引き上げた漁船や網干し場、干物を干す金網、漁師の物置小屋などが並んでいた。

それでも砂浜は、端が見えないほどにだだっ広い。どれほど走り回っても、ひとにぶつかることはない。所々に置かれている漁師の道具は、こどもにはなによりの遊び道具である。走ることに飽きたら、波打ち際《ぎわ》で波をからかった。

砂浜が目の前に広がる田町三丁目のこどもは、よその町のこどもに比べて、はるかに遊び場所に恵まれていた。

「あたいもいれてええ」

大声を出しながら、おなつは浜に駆け出した。三人の男の子が、凧揚《たこあ》げで遊んでいた。おなつはそこに向かって駆けた。

こどもは三人とも、漁師のせがれたちだ。漁に使うタコ糸が好きなだけ使えるこどもは、二十丈（約六十メートル）の高さにまで凧を揚げていた。

「あたいにもにぎらせて」

こどもたちのなかでは、おなつが一番背が高く、目方も重たい。髪はおかっぱで、毎日浜を走り回っているおなつは、真冬のいまでも色黒だ。

そんなおなつにせがまれると、男の子たちもつい言いなりになってしまう。

「いいよ、ほら」

タコ糸を握っていた年かさの子が、糸巻きをおなつに手渡そうとした。

間のわるいことに、強い追い風が浜から海に向けて吹き流れた。手渡そうとしてこどもが放した糸巻きが、凧に引っ張られて宙に飛んだ。

二十丈の上空で、風を受けている凧である。こどもたちはなにもできず、糸巻きをぶら下げて飛び去る凧を呆然《ぼうぜん》となって見ていた。

ひと息おいて、凧の持主の年少のこどもが泣き出した。

「おなっちゃんが飛ばした」

残るふたりがおなつに詰め寄った。

「おまえが握らせろっていうから、凧がとんだんだよ」

「どうするんだよ、おなつ」

「あたい、さわってないもん」

おなつが言い返した。

「さわったね。おいら、見てた」

「おいらも見てた」

おなつは糸巻きにさわってはいなかった。が、三人から責められて途方にくれた。

「おまえ、どうするつもりだよ」

糸巻きを握っていた年かさの子が、おなつの胸元を押した。うろたえていたおなつは、押された拍子に尻餅《しりもち》をついた。

「あたい、さわってないもん」

いわれのないことで責められて、おなつは悔しかった。泣きそうになったが、泣くのはもっと悔しい。懸命に踏ん張っていたら、ふたりの子がおなつの足元の砂を蹴《け》り上げた。

舞い散った砂が、おなつの髪にかかった。

「あたい、さわってない」

言うなり、両手ですくった砂をふたりめがけてぶっかけた。

ひとりの子は、口に砂が入った。

別の子は目に砂がかかった。

口に入った砂をぺっと吐き出した子が、おなつに摑《つか》みかかった。が、おなつのほうが背が高い。相手を見下ろすようにして、摑みにきた手を払いのけた。そして、砂をその子めがけて蹴り上げた。

まともに顔に浴びた子は、両手で砂を払いのけようとした。うまくできずに目に入った。

凧の持主と、砂が目に入ったふたり。三人の男の子が、声を揃《そろ》えて泣き出した。

泣き声を聞いて、徳蔵が砂浜に出てきた。こどもたちのなかにおなつを見つけると、砂浜に駆け寄った。

おかっぱ髪に砂を浴びたおなつの前で、三人の男の子が泣いている。徳蔵にはわけが分からず、それぞれのこどもに問い質《ただ》した。

「おなつが凧を飛ばした」

年かさの子が、凧が飛び去った方角の空を指差した。どこにも凧は見えなかった。

「あたい、さわってないもん」

おなつが頬を膨らませた。

「うそつき、さわったよう」

三人が泣き声まじりに訴えた。

「ごめんよ、金坊。おじさんが凧を買うから勘弁しておくれ」

徳蔵が凧の弁償を伝えて、こどもが泣きやんだ。徳蔵はおなつの手を引いて、伊勢屋への道を引き返した。

「あたい、さわってないもん」

おなつは何度もそれを父親に訴えた。

「分かってるよ。おまえはさわってないさ」

おとうちゃんは、あたいがやったと思ってるんだ……。

徳蔵の物言いを聞いて、おなつはそう思った。

文化七年の元日に、おとなは嘘《うそ》が全部見抜けるわけではないと悟った。次の日からおなつは砂浜には出ても、男の子たちとは遊ばなくなった。

三

伊勢屋三代目を継がせる男児が授かることを、徳蔵はおなつが九歳になるまでは望んでいた。おてるとの夫婦仲はよかったが、あとの子には恵まれなかった。

おなつ九歳の文化十一(一八一四)年に、徳蔵は四十二歳の厄年を迎えた。おてるは前の年に三十路《みそじ》を越えていた。

「もうこどもは諦《あきら》めたよ」

正月早々に風邪で寝込んだ徳蔵は、薬湯を運んできたおてるに力のない声でつぶやいた。

「お正月から、縁起にさわるような声を出してはいけませんよ」

おてるに手首を軽くつねられた徳蔵は、笑いかけようとしたが目に力がなかった。

「あんなに元気な、おなつがいるじゃないですか。しっかり食べて元気になったら、おなつにまた本を読んでやってくださいな」

「あいつが、聞きたいと言ったのか？」

「あなたお得意の、あさがおの話が聞きたいみたいですよ」

「そうか……」

おなつの言ったことが、徳蔵に元気を取り戻させたようだった。

身体《からだ》を起こすと、湯呑《ゆの》みを両手で包むようにして薬湯を飲んだ。田町一丁目の医者が調合した煎《せん》じ薬である。三丁目の町内には、医者はいなかった。

「なんだって、こんなに苦いんだ」

「熱冷ましが入ってるそうですから」

「そうかも知れないが、ひどいぞ、この苦さは」

ぶつくさ文句を言いながらも、徳蔵は薬湯を飲み干した。早く快復して、娘に本を読み聞かせたいと思ったのだろう。

こどもが翌年の六月に生まれると、文化二年の八月十五夜に聞かされた。そのとき徳蔵はあたまのなかに、路地いっぱいに咲いたあさがおの花を思い描いた。

昔から本を読むのが好きだった徳蔵は、十日ごとに顔を出す担《かつ》ぎの貸本屋に、あさがおの本を探して欲しいと頼んだ。

「探してはみますが、あんまり聞かない本ですからねえ。少々お高くなりますよ」

貸本屋は渋い顔を見せたが、次にきたときには三冊の黄表紙本を見つけてきた。なかの一冊は、色刷りであさがおの絵が載っていた。

「三冊とも売ってくれ」

絵が気に入った徳蔵は、ほかの二冊もまとめて買い入れた。

『朝顔は唐土《もろこし》より伝わりきた花である。初めは種を薬として用いた。花を愛《め》で始めたのは、遠く平安の世である。万葉集には、朝顔が五首詠《よ》まれている。しかし元禄《げんろく》の碩《せき》学《がく》は、それはキキョウだと判じている』

このような書き出しで始まる漢字の多い一冊を、徳蔵は夢中になって読みふけった。夏の路地をいろどるあさがおが、万葉の時代には咲いていたと知り、貸本屋から万葉集を借りた。そして五首を探した。

本好きではあっても、万葉集までは手に負えない。飛ばし読みをしていたら、山《やまの》上憶良《うえのおくら》の一首が目に留まった。

秋の野に咲きたる花を指折《およびを》り

かき数ふれば七種《ななくさ》の花

山上憶良は七草として、萩《はぎ》、尾花《おばな》、葛《くず》、なでしこ、おみなえし、藤袴《ふじばかま》、朝顔の七種を別の歌に詠んでいた。

おのれの目で、万葉集に歌われたあさがおを見つけた徳蔵は、本読みにのめり込んだ。町場の小商人が、いきなり学者にでもなった気分だった。

以来、あさがおにかかわることを、書物などで幾つも学んだ。

おなつが七歳を過ぎて、物事が少しずつ分かり始めたあとは、折りを見てあさがおの本を読み聞かせた。

ほんとうに分かっているのだろうかと案じつつも、徳蔵はおなつに本を読んだ。

夏場の朝早くと、店を閉めたあとの秋の夜長にである。

こどもが自分と同じ本好きかもしれないと分かり、徳蔵は風邪を吹き飛ばす気力が湧《わ》き上がるのを感じた。

男の子が授からなくていい。婿《むこ》を取れば済む話だ。それより、おなつがなにとぞ、本好きでいてくれますように……。

湯呑みを持ったまま、徳蔵は胸のうちで強く祈った。

風邪は翌日には、すっかり抜けた。

一月十六日は藪入《やぶい》りである。この日は伊勢屋も店を閉じて、一日ゆっくりと骨休めができる。

いつもの朝より、半刻《はんとき》遅く起きた徳蔵は、朝飯のあとでおなつを手元に呼んだ。

「昼まで、あさがおの本を読んでやろう」

「ほんとう？」

おなつが目を輝かせた。その目に宿る、自分と同じ本好きの光を見て、徳蔵は幸せな思いを嚙《か》み締めた。

「今日は、あさがおの由来を書いたところを読むからね」

「由来ってなんのこと？」

九歳のこどもには言葉がむずかし過ぎた。

「由来というのは……ことの起こりだ」

「ことのおこりって？」

おなつには、さらに分からないらしい。徳蔵はそれ以上は噛み砕くことをせずに、本を読み始めた。

「江戸初期に貝原益軒《かいばらえきけん》が書いた花譜には、あさがおの色違いの品種もみられるが、花色数はまだわずかであった」

こどもに伝わるかどうかを考えての、本読みではなかった。書いてあるがままをそのまま読む、素読に近い。

ついて行けないおなつが、もぞもぞと尻《しり》を動かした。

「どうした、つまらないのか」

「おとうちゃんのいうことが、ちっとも分からないから」

おなつの顔が、半べそをかいていた。読んで欲しいと頼んでおきながら、言葉が分からないのが悲しいのだろう。

こどもの顔を見て、徳蔵は自分ひとりで進んでいたことを察した。

「ざっと読んでから、おまえにも分かるように話してやるから」

徳蔵は開いた本を読み進んだ。途中で半紙と矢立《やたて》を持ち込み、必要なことを書き留めた。

おなつは父親のしていることを、目を見開いて見詰めていた。ひたむきな目は、徳蔵とふたりで学問をしているのを喜んでいるように見えた。

ひと通り読み終えた徳蔵は、本を閉じて半紙の書き抜きに目を落とした。

「唐土から海を渡ってきたころのあさがおは、青い色をしていたようだ」

「青って、空の色でしょう？」

「そうだ、その色だ」

答えてから、また半紙を見た。

「いまからずうっと昔の、鎌倉時代の掃墨《はいずみ》物語絵巻という絵の巻物には、青いあさがおの花が描かれているそうだ」

「おとうちゃん、その巻物を見たことあるの？」

「この本にそう書いてあるだけで、見たことはない」

「あんなに色がいっぱいあるのに、青だけだったなんて、ふしぎだね」

「そうだなあ。いまのように色がたくさんできたのは、百年ほど昔の元禄時代だそうだ。そのころには、色が四色になっている」

「赤い花もあったの？」

「元禄時代には、赤い花が加わったようだ」

「あたい、赤いあさがおが大好き」

話が分かりやすくなって、おなつが元気になった。

「いまのように色がたくさんになったのは、おまえが生まれる、ほんの少し前だ」

「それじゃあ、あさがおって、あたいの花だよね。だからあたいは、あさがおが好きなのかなあ……」

おなつが徳蔵に寄ってきた。

「おとっつあんも、おまえがおっかさんのおなかにいると聞かされたときは、あたまのなかに、あさがおの花が浮かんだものだ」

「それって、どんな色をしてたの？」

徳蔵が考え込んだ。

路地に咲くあさがおは思い浮かべたが、とりたてて色味は思い浮かべていなかった。強いて思い返せば、とりどりの色をしたあさがおだった。

「おとうちゃん……」

こどもに呼びかけられて、徳蔵は思い返しをやめた。

「今年の夏がきたら、あたい、あさがおの種まきをしたい」

「いいとも。つるを巻きつける柵《さく》をこしらえて、一緒にあさがおを育てよう」

「嬉《うれ》しい」

おなつは手を叩《たた》いて大喜びした。

「はやく夏がこないかなあ……」

はしゃぐおなつは、徳蔵の膝《ひざ》に尻をのせた。

ここ何年も、徳蔵はおなつを抱いてなかった。こどもの重たいことに、徳蔵は驚いた。

この子が嫁ぐまで、あと何回こうして膝にのせることができるだろうか。

そう思いつつも、いや、おなつには婿を取るのだから、と思い直した。

膝にのせたこどもの重さが、婿を取るにしろ、嫁ぐにしろ、さほどに先のことではないと思わせた。

藪入り休みのくつろいだ気分が失《う》せていた。

四

文政五(一八二二)年八月十五日。

十七歳になっていたおなつは、朝からうきうきしていた。

「どう、これで？」

おてるの前で、浴衣《ゆかた》姿のおなつがくるっと回って見せた。

退紅《あらぞめ》地に、赤いあさがおの花が暈《ぼか》し染めにされた浴衣に、濃紺の帯を締めている。

五尺五寸（約百六十七センチ）の上背があるおなつが着ると、大きなあさがおの絵が引き立って見えた。

「よく似合ってますよ」

同じことを四回も訊《き》かれたおてるは、娘を見ることもせず、ぞんざいに答えた。

「おっかさん、ちゃんと見てよ」

「見てますよ、もう四回も」

「ほんとうに似合ってる？」

「おまえは、似合ってないと言って欲しいのかい」

四十が来年のおてるは、物言いが日ごとにぞんざいになっている。それを感ずるたびに、おなつは母親をたしなめていた。

しかしいまのおなつは、祭見物に出かけることに気が行っている。母親のいやみも、大して気にならなかった。

「それじゃあ、仕舞い舟までには帰ってくるから」

お気に入りの巾着袋《きんちゃく》をさげて、おなつが出かけようとした。

「ちょっとお待ち」

娘を呼び止めたおてるは、立ち上がっておなつに近寄った。並んで立つと、おてるは娘の口元の背丈だった。

「おすみちゃんは、おまえと違っておとなしい娘《こ》だから、くれぐれも引っ張りまわすようなことをしてはいけないよ」

「分かってるわよ」

「分かってないから、そう言ってるの」

面倒くさそうな顔つきになったおなつは、母親から目を逸《そ》らせて土間を見た。

「あたしの言うこと、ちゃんと聞きなさい」

娘の顔を、両手ではさんで向き直らせようとした。手を伸ばしただけでは、背丈が足りない。つま先立ちになって、おなつの顔をはさんだ。

「分かりました」

おなつは母親の目をしっかりと見て返事をした。

「おすみちゃんをひとりにはしないから、安心して」

おなつは素直な物言いを残して、伊勢屋を出た。ときは五ツ（午前八時）。晩夏の陽が空を昇り始めていた。

富岡八幡宮《はちまんぐう》の祭は、神輿《みこし》が売り物である。

「神輿深川、山車《だし》神田、だだっぴろいのが山王《さんのう》さん」と、土地の者は調子をつけて歌っている。江戸三大祭の評判は、海辺の田町にまでも聞こえていた。

とりわけ深川八幡宮の神輿は、威勢のよさで知られていた。江戸中から見物客が集まるのだが、深川に行くには大川を渡らなければならない。

渡るのは永代橋《えいたいばし》。この橋の東詰めから八幡宮までは、太い一本道だ。ところが見物客が多く集まり過ぎて、おなつの生まれた翌年の文化四年に永代橋が崩落した。

橋はすでに新しく架け替えられている。普段の日は好きに渡れるが、祭の今日は橋の両側の橋番が、見物客の流れを差配する。

七月初めに娘から深川行きの許しを求められたとき、徳蔵は認めなかった。

「心配しなくても、あたしたちは永代橋は渡らないから」

おなつは、金杉橋《かなすぎばし》から佐賀町桟橋まで、祭の日に限っての渡し舟があるのを見つけていた。

「舟ならいいでしょう。八月のことだし、もしもひっくり返っても、あたしはしっかり泳ぐから」

おなつは手で水をかく真似《まね》をしてみせた。

一緒に行くのは、田町二丁目の小間物屋、こより屋のおすみだと付け加えた。

うるさいことで通っているこより屋のあるじは、おなつが一緒なら行かせてもいいと伝えてきた。そこまで言われては、徳蔵も認めざるを得なかった。

おなつとおすみは、四ツ（午前十時）に金杉橋を出る渡し舟に乗った。三十人乗りの舟が、ひとであふれている。娘ふたりは話をすることもできず、黙って膝《ひざ》に手を置いて座っていた。

晩夏とはいえ、四ツの日差しは強い。川風はゆるく吹いているが、満員の人肌にぶつかったあとでは、すっかり涼味がぬるくなっていた。

おなつが汗押さえでひたいを拭《ぬぐ》っていると、すぐわきに座っている中年の女ふたりが遠慮のない声で話を始めた。ひとりは甲高い大声で、もうひとりは口のなかでぼそぼそと言うだけだ。耳に障《さわ》る声に我慢ができず、おなつが耳を手でふさごうとしたとき。

甲高い声の女が、深川のあさがおが……と口にした。

あさがおと聞いて、おなつは逆に耳をすました。

「江戸でも一、二と言われてるあさがお職人が、冬木町という町に住んでるんだってさ」

「どこなの、それ」

「仙台堀に架かってる、亀久橋のたもとだってさ。お神輿を見たあと、行ってみない？」

「あたし、あさがおって、きらいだから」

ぼそぼそ声の女が、景気わるそうな声で断わった。おなつは仙台堀、亀久橋のふたつをしっかり覚えたあとで、どうかこのひとたちが来ませんようにと強く祈った。

都鳥の群れが多く舞い飛び始めた。

鳥のえさになる小魚が川面《かわも》近くを泳ぐ、大川の流れがすぐ先に見えていた。

五

佐賀町桟橋で舟をおりたおなつは、町の様子があまりに田町と違うことに驚いた。

空がなんだか小さいみたい……。

桟橋の前に建ち並ぶ蔵が、空をふさいでいるように見えた。行き交うひとの多いことが、その思いに輪をかけた。

「おすみちゃん、いままでに深川にきたことがあるの？」

町の様子にさほど驚きを見せないおすみが、おなつにはいぶかしく思えた。

「ないけど、どうして？」

おなつのわきを歩くおすみは、足を止めずに前を見ていた。

「あんまりびっくりしてないみたいだから」

「そんなことないわよ。こんなにたくさんのひとを見たのって、生まれて初めてだもの」

「そのわりには、平気な顔をしてるわよ」

「あたしが？」

おすみが立ち止まり、おなつを見上げた。おなつはおすみよりも、四寸ほど背が高い。並んで歩いたときには分からなかった驚きの色が、おすみの両目に宿されていた。

「はぐれないようにして歩こうね」

おすみもこの町と人込みとに驚いていることが分かり、おなつは少し安心した。

この日まで、おなつは深川に足を踏み入れたことがなかった。深川だけではない。

出向いたことのあるのは、高輪《たかなわ》大木戸から金杉橋の間の町だけだった。

大きな寺、武家屋敷、軒を連ねる商家。

これらのものは、何度も見ていた。まだ小さかったころには、父親に連れられて高輪大木戸のそばで、国許《くにもと》に帰る大名行列を見たこともあった。

しかし、それらのどれを思い返しても、空をふさいでいたとは思えなかった。

きっと目の前に海が広がっているからだわ。

おなつはこれに思い至った。

田町は、毎日の暮らしと海とが隣り合わせになった町である。夜明けの天道《てんとう》は、伊勢屋の目の前の海から昇る。夕暮れの陽は町の反対側に沈むが、暗くなれば空が星でにぎやかになった。

海は果てしなくどこまでも広がっており、さえぎるものはなにもない。

空もまったく同じだった。

海と空とは、はるか彼方《かなた》で互いの根元が重なり合っていた。天道はその根元から顔を出し、陽が沈んだあとの星は、海と空の境目にも幾つも輝いていた。

佐賀町桟橋に降り立ったとき、おなつには空の根元が見えなかった。蔵の屋根と、見たこともないほどの数のひととが、そこをふさいでいたからだ。

すごい町にきたみたい……。

見とれたわけではなかった。建物やひとの群れが空をふさいでいることに、怖いものを見たような気がした。

この町には暮らせないわ。

祭を見るのは楽しみだが、町は好きになれなかった。富岡八幡宮につながる大通りに出ると、桟橋よりもさらに多くのひとが広い道を埋めていた。

「おすみちゃん、手をつなごう」

おなつはおすみの手を強く摑《つか》んだ。ふたりはこどもみたいに、手をつなぎ合って八幡宮一の鳥居をくぐった。

門前仲町《もんぜんなかちょう》の辻《つじ》には、高さ六丈（約十八メートル）の火の見やぐらが建っている。真っ黒に塗られたやぐらは、青空に穴をあけるかのように聳《そび》え立っていた。

こんなやぐらは見たことのないおなつだが、桟橋をおりたときに感じたような、怖い思いは抱かなかった。

「おすみちゃん、あのやぐらを見て」

つないだ手をほどき、おなつが火の見やぐらを指し示した。

「大きくて、なんだか怖い」

おすみは眉間《みけん》に小さなしわを寄せた。おなつと同い年だけに、寄ったしわにも若い張りがあった。

「でもさあ、あんな大きなやぐらが町を守ってくれてたら、暮らすひとは安心じゃないかなあ」

この町には暮らせないと思ったおなつが、まるで違うことをおすみに話していた。一の鳥居と火の見やぐらが、対になって建っている。その神々《こうごう》しいさまが、さきほど感じた怖さを薄めてくれていた。

わっしょい、わっしょい。

辻の先から、神輿《みこし》を担《かつ》ぐ掛け声が聞こえてきた。見物人のかたまりが、神輿を追うようにして右へ左へと動いている。神輿までは相当のへだたりがあり、はっきりとは見えなかった。

「あのお神輿に、お水をかけてない？」

おなつが問いかけた。

「あたしには見えないもの」

ひとの群れに埋まって前が見えないおすみが、口を尖《とが》らせた。

「ごめんね、気づかなくて」

おすみの手を強く握り、見物人を掻《か》き分けて前に進んだ。

「なにしやがんでえ」

背中を押された職人が振り返った。相手が年若い娘だと分かり、険しかった顔つきを元に戻した。

「でけえ娘だぜ」

職人がぼそりとこぼした。言われなれているおなつは、気にもとめずに先へと進んだ。神輿が近くなると、水しぶきが飛んできた。

「やっぱりお水をかけてたんだ」

おなつが声を弾ませた。

おなつは十七歳のいまでも、水遊びが大好きである。夏の間は、ひまさえあれば伊勢屋の前の海で、こどもたちと一緒に波をからかって遊んでいる。

神輿は町内の祭で毎年見ていたが、水を浴びる神輿は生まれて初めて見た。

わっしょい、わっしょい。

掛け声に合わせて四方から、神輿と、担ぎ手めがけて水がぶっかけられている。

「すごいよ、おすみちゃん」

握っていた手を放して、おなつが声を弾ませた。

「あたし、こんなのきらい」

おすみの物言いが拗《す》ねていた。

「どうしてそんなこというの」

いた。

「だって、浴衣《ゆかた》に水が飛んでくるんだもの。髪だって濡《ぬ》れそうだし」

おすみに言われて、おなつは自分の髪や顔にも水がかかっていることに初めて気づいた。

神輿が大きく揺れて、何十もの手桶《ておけ》の水が浴びせられている。見物客が水しぶきから身をよけた。

手桶ひとつ分の水が、おすみとおなつのほうに飛んできた。

「きゃっ」

おすみが悲鳴をあげた。おなつは水が飛んでくる前に、おすみを抱きかかえるようにして、身体《からだ》でかばった。

おなつは、あたまからまともに水を浴びた。

「おなつちゃん、たいへん」

「平気よ、こんなの。あたし、お水が大好きだから」

笑うおなつの髪から、浴びた水がしたたり落ちた。

「あたしはいや。濡れないうちに帰りましょうよ」

「そんな……まだお祭を見始めたばかりじゃない。おすみちゃんだって、あんなに楽しみにしていたでしょう」

「だって、お水をかけられるなんて、あたし知らなかったもの」

田町界隈《かいわい》で名の通った小間物屋の娘は、わがまま一杯に育っていた。おなつがどれほど引き止めても、帰るの一点張りである。

身体で水からかばった礼すら言わないおすみに、おなつの我慢が切れた。

「だったら、ひとりで帰って」

「あら、そう。分かったわ」

おなつの売り言葉を、おすみはあっさりと買った。

「深川になんか、くるんじゃなかった」

尖った声で吐き捨てたおすみは、あっという間に人込みにまぎれた。その後姿を見ているおなつに、新しい水が飛んできた。

わっしょい、わっしょい。

浴衣をびしょ濡れにしながらも、おなつは目を輝かせて神輿に見入った。

四半刻《しはんとき》（三十分）ほど神輿を見てから、おなつは見物人の群れを離れた。

髪も顔も、浴衣までも水を浴びてびしょ濡れである。しかし富岡八幡宮界隈では、おなつの姿は格別に目立つものではなかった。通りを行き交う多くのひとが、おなつと同じような濡れねずみ姿だった。

とは言うものの、濡れたまま歩いているのは、男も女も、半纏《はんてん》を着た神輿担ぎの身なりである。おなつのように、浴衣姿のびしょ濡れはそれほど多くはいなかった。

しかし水かけ祭と呼ばれる祭では、濡れて歩くほうが町に溶け込んでいる。すれ違うだれもが、おなつに笑いかけた。おなつも笑顔で応《こた》えた。歩きながら、おなつは深川を好きになり始めていた。

「いい柄じゃねえか」

前から歩いてきた半纏姿の若い衆のひとりが、おなつの浴衣を見て話しかけた。自慢の赤いあさがお柄を誉《ほ》められて、おなつの顔がほころんだ。

「ねえさん、土地《ここ》のひとじゃねえだろう」

あさがおを誉めた男が、足をとめて続きを口にした。

「分かりますか」

「あたぼうさ。ここいらの娘は、祭となりゃあ股引《ももひき》半纏さ。それで目一杯に水を浴びるんだが、浴衣を着て濡れるてぇのはめずらしいや。なあ、みんな」

仲間がどっと沸いた。その笑い方が親しげだっただけに、おなつも一緒に笑い声をあげられた。

「ところでねえさん、どこに向かって歩いてんでえ。永代橋は反対だぜ」

おなつが日本橋方面からきていると、見当をつけているようだ。

「仙台堀の亀久橋ってところに行きたいんです。こっちで合ってますか?」

若い衆が気持ちよく接してくれていたことで、おなつはこだわりなく道がきけた。

「亀久橋なら、おれっちのそばだ。ねえさん、そこに行きてえのか」

「はい」

「がってんだ、まかせてくれ」

仲間に振り返った男は、すぐに追いかけるから先に行っててくれと頼んだ。

「いいなあ、亮助《りょうすけ》」

「しっかりやれ」

半纏をずぶ濡れにした仲間は、てんでにからかいながら、ふたりを残して場を離れた。

「すまねえ、つまらねえことを言わせて。気にしねえでくれ」

仲間の言ったことを、男がぺこりとあたまを下げて詫《わ》びた。下げるときに、素早く鉢巻を取った。おなつへの礼儀である。

「あたし、気にしていませんから」

鉢巻を取ってくれた男の振舞いが嬉《うれ》しくて、おなつは明るい声で答えた。十七歳の今日まで、男から娘として接してもらったのは初めてだった。

「そう言ってもらえりゃあ、気が楽だ。おれはこの先の冬木町に住む、亮助てえ職人だ。覚えてくんなくてもいいが……できりゃあ、覚えておいてくれ」

笑うと亮助の前歯が見えた。真っ白で歯並びがよかった。

「田町三丁目の酒屋の娘で、おなつって言います」

男と差し向かいで名乗ったのも、おなつは初めてだった。名乗るのが嬉しかった。

「そいじゃあ、亀久橋まで行こうぜ」

手にした鉢巻をあたまに巻き直すと、亮助が先に立って歩き始めた。正午過ぎの陽が、空の高いところから降り注いでいる。雲もなく、陽がまともに濡れた半纏と浴衣に当たっている。

乾き始めた浴衣の地の色が変わっていた。

「立ち入ったことをきくようだけど、田町のおなつさんが、なんだって亀久橋に用があるんでえ。だれか身寄りのひとでも暮らしているのかい？」

「違います」

おなつの声は、相変わらず明るい。

「あたしもおとっつあんも、あさがおが大好きなんです」

「へええ……それで、そんな浴衣を着てるてえのか」

亮助の物言いには、わずかに重たい調子が加わっていた。おなつは気づかず、答えの代わりにうなずいた。

「金杉橋から乗った渡し舟のお客さんが、亀久橋の近くには、江戸で一、二と呼ばれるあさがおお作りの職人さんが暮らしているって言ってました」

「……」

「あたし、そこに行ってみたいんです」

足を止めたおなつが、亮助に目を合わせた。

「亮助さん、そのお職人さんの宿をご存知ですか？」

「ああ、知ってるよ」

おなつの目元が嬉しそうに崩れた。

「厚かましいお願いですけど、そちらに連れてってもらえませんか」

「そいつあ構わねえが……」

「なんでしょう」

「偏屈な親父《おやじ》と、ひとり息子がやってる宿だ。江戸で一、二かどうかは分からねえぜ」

「そんなこと言ったら、お職人さんにわるいでしょう」

たずねる先をわるく言われて、おなつが声の調子を変えた。

「すまねえ、余計なことを言っちまった」

亮助があたまをかいた。

「そこにめえてるのが亀久橋さ」

亮助が指差した先に、真ん中が大きく盛り上がった橋が見えていた。

「おなつさんの言ってる職人てえのは、あの橋の手前を西に折れた川っぷちだ」

足を速めた亮助は、亀久橋のたもとを西に折れた。何軒も材木問屋が並んでいる。

辻《つじ》を折れると杉の香りが漂っていた。

「いい香り……あたし、木の香りも大好きなんです」

おなつが嬉しそうな声を漏らしたが、亮助は材木問屋の前を通り過ぎていた。

「ここがそうだ」

亮助が示した宿は、杉板塀に囲まれた平屋だった。目の前には仙台堀が流れている。家のたたずまいからは、腕のいいあさがお職人の宿であるのは感じられなかった。

「どうもありがとうございます」

「いいんだよ。おれの宿だ、へえってくれ」

「えっ……？」

息を呑《の》んだおなつに、前歯を見せた亮助が笑いかけた。

六

「まだ十七じゃないか」

おてるの口を通して、娘が男と付き合いたいと望んでいるのを知った徳蔵は、かたくなに反対した。

「なにより、あれは婿《むこ》を取ってうちを継ぐのが役目だ」

徳蔵は、その先の話を聞こうとしなかった。

「いいじゃありませんか、あなたの代で伊勢屋を閉じても」

「なんだと」

徳蔵が気色《けしき》ばんだ。

「おまえは漁師町から嫁いできた身だから、そんなことが軽く言えるんだ。あたしで幕引きなどとは、二度と口にしなさんな」

いつになく口調が厳しかった。それだけ徳蔵は、日ごろから跡継ぎのことであたまを痛めていたのだろう。

「あたしの口が過ぎました」

おてるが素直にあやまった。が、話は引っ込めなかった。

連れ合いに詫《わ》びられた徳蔵は、憮然《ぶぜん》とした顔ながらも話を聞いた。

相手が深川のあさがお職人で、屋号が『茗荷屋《みょうがや》』だと分かると顔つきが変わった。

「茗荷屋って、あの茗荷屋か」

あさがお好きの間では、茗荷屋の名は通っている。しかし、さしてあさがおに気のないおてるは、そんなことは知らない。

「おなつが江戸で一、二のお職人さんだと言ってましたけど、あたしは知りませんから」

徳蔵の変わりようがあまりに激しくて、おてるは呆《あき》れ気味に突き放した。

「図抜けた一番だ、二はいらない」

徳蔵が思案顔をこしらえた。

話でしか聞いたことのない茗荷屋を、いきなり身近なものに思えた驚きと、娘が男と付き合い始めたことを知った哀《かな》しさとが、まぜこぜになったような思案顔である。

「茗荷屋さんは、棟梁《とうりょう》が要助《ようすけ》さんで、跡取りがたしか……」

「亮助さんです」

「そう、それだ。やっぱりおなつの相手は、あの深川の茗荷屋さんか」

それでも徳蔵は、すぐには許すとは言わなかった。相手が茗荷屋だと知って、振舞いを変えたとおてるに思われたくなかったのだろう。

「あれが行きたいというのなら、無理に止め立てもできないだろう」

徳蔵が渋々顔をこしらえたとき、おてるはうつむいて口元に手を当てていた。

文政五年のもみじの秋に、おなつは深川まで遊びに出た。

海岸伝いの道を浜松町の先まで歩き、芝橋桟橋から佐賀町までの渡し舟に乗った。芝橋と佐賀町河岸とは、日に十便の渡し舟が出ていた。

富岡八幡宮大鳥居下で、四ツ（午前十時）に会う約束である。約束の刻限に遅れたくないおなつは、芝橋を五ツ半（午前九時）に出る渡し舟に乗った。芝橋から佐賀町までは、潮の流れにもよるが、四半刻《しはんとき》あれば充分だ。このあたりは川底までが深いため、舟は二挺櫓《にちょうろ》で漕《こ》ぎ出した。

ふたりの船頭が息を合わせて漕ぐ舟は、舳先《へさき》を上げて滑らかに走った。

大川の川面《かわも》を照らす日が、祭のころに比べれば穏やかだ。川で漁をする舟の帆は、日差しを照り返すのではなく、ぬくもりを吸い込んでいるようだった。

大川の流れは、ほどよい上げ潮である。

船頭たちは潮目を捉《とら》えて、舟をうまく滑らせた。

佐賀町桟橋に降り立ったときには、四ツにはまだ充分な間があった。

これなら、ゆっくり歩いていけそう……。

おなつがすうっとひとつ大きな息を吸った。

「早かったじゃねえか」

桟橋の上から亮助が笑いかけてきた。桟橋で待っていてくれるとは、おなつは思ってもみなかった。それだけに、佐賀町で会えたのは、ことのほか嬉《うれ》しかった。

「けえりの舟は？」

「七ツ（午後四時）の仕舞い舟にします」

秋が始まったいまは、日ごとに日暮れが早くなっている。祭のころの仕舞い舟は七ツ半（午後五時）だったが、いまは半刻も早くなっていた。

「おなつちゃんと一緒にいたら、あっという間にときが過ぎちまいそうだからさ」

亮助は足を速めて仲町に向かった。

今日の逢瀬《おうせ》を約束したとき、亮助は昼飯にうなぎを食べようと誘っていた。

「かねまつって店でね。うちの親父《おやじ》がでえすきなんでえ」

仲町に出たふたりは、昼飯の前に富岡八幡宮にお参りをした。

「あんとき、おなつちゃんが祭の水を浴びてなけりゃあ、出会うことができなかったからよう。八幡様にお礼参りをしてえんだ」

本殿で拍手《かしわで》を打ち、賽銭《さいせん》を投げてからかねまつに向かった。

亮助はあらかじめ頼んでいたらしく、仲居はふたりを見るなり、二階の奥座敷に案内した。路地に面した四畳半の座敷で、小さな障子窓がこしらえられていた。

「棟梁と同じものを、親方が焼いています」

仲居は亮助に誂《あつら》えの中身を伝えてから、おなつに目を合わせた。

「田町からお越しになったんですってねえ」

「はい。芝橋から渡し舟に乗ってきました」

「そうですか」

仲居は、はきはきしたおなつの物言いを好ましく思ったようだ。ごゆっくりと言い残して、座敷の外からふすまを閉めた。

男とふたりだけで、うなぎ屋の二階座敷に入ったのは、おなつは初めてである。どんな話をしていいかが分からず、膝《ひざ》に重ねた手に目を落とした。

「情けねえが、女のひととふたりっきりでいるのは、初めてなんでぇ」

亮助が照れ隠しにあたまを掻《か》いた。

「亮助さん、お見合いしたことがないの？」

「ねえさ。年だけは二十四だけど、あさがお作りに気が行ってたもんでね。おなつちゃんはどうなんでぇ」

「どうって……うなぎ屋さんにきたこと？」

「そうじゃねえ。お見合いさ」

「一度もないわよ」

「そんな可愛《かわい》いのにかよ」

亮助が、真正面からおなつの容姿を誉《ほ》めた。おなつの顔に朱がさした。

「めえったなあ……運がよすぎて、ばかになりそうだぜ」

屈託のない亮助の物言いが、男とふたりだけでいるという、おなつの張り詰めた気持ちを解きほぐした。

うなぎ屋を出たあと、亮助は八幡宮裏手の山にいざなった。高さ十丈（約三十メートル）の、ひとがこしらえた小山である。山は富士山をかたどっており、裾野《すその》には宿場町の家並みが寸法を縮めてこしらえられていた。

亮助はおなつの手を取って山に登った。

てっぺんに立つと、西には江戸城が見えた。本物の富士山も、南西の遠くに見えている。

「あのあたりが田町の浜だろう」

亮助が指差す方角には、田町から大井村までつながる砂浜がかすんで見えた。

八ツ（午後二時）過ぎの秋の日差しが、江戸の町に降り注いでいる。武家屋敷の庭に植えられた木々は、葉がまだ色づいてはいない。緑の葉が日差しのなかで、互いに色味を競い合っていた。

初めて山に登ったおなつは、江戸の町の美しさに見とれた。とりわけ、遠くに見えている田町の砂浜の美観に目を奪われた。

海の青さ。砂浜の白さ。そして浜に規則正しく並べられた、干し網の柵《さく》。

離れた場所から一望する浜は、格別の景観だった。

亮助とおなつは、互いに寄り添うようにして、山から江戸の町を眺め続けた。

「じゃあ、またな」

渡し舟におなつが乗ったのを見届けると、亮助はさっさと桟橋を離れた。舟が出るまでは名残を惜しんでいてくれると思っていたおなつは、肩透かしを食ったような寂しさを覚えた。

深川のひとって、あんなにあっさりしているのかしら……。

永代橋をくぐる舟の上で、おなつはいまひとつ分からない男ごころを、あれこれと思い巡らせた。

橋をくぐると、前方の遠くに芝橋あたりの家並みが見えてきた。

あそこに着いたら、今日が終わる……。

いきなり哀《かな》しい思いがこみ上げてきて、おなつの目が湿った。

「おなっちゃあああん」

名を呼ばれて、おなつが後ろを振り返った。

永代橋の真ん中で、亮助が両手を大きく振り回している。

おなつも手を振って応《こた》えた。

亮助は、舟が浜御殿の陰に隠れるまで手を振り続けた。沈み行く秋の陽を、身体《からだ》一杯に浴びていた。

七

十七歳の秋に、おなつは両親に亮助と付き合うことを認められた。

亮助からは、おまえと所帯を持ちたいとはっきり言われた。徳蔵もおてるも、仲人《なこうど》が田町にたずねてくるのを受け入れると、娘の口から亮助に伝えさせた。

当人同士も、娘を嫁に出す側の両親も、祝言《しゅうげん》を望んだ。しかし実際に仲人が田町をおとずれたのは、おなつが十九歳になった文政七年の秋である。

祝言は翌八年の九月だった。

初めて山に登ってから丸一年が過ぎた、おなつ十八歳の秋。

「仲人さんがおめえの両親をたずねるのは、一年先の九月てえことになる。勘弁してくれ、この通りだ」

それまで見せたことのない、苦渋に満ちた顔つきになった亮助が、おなつの顔の前で両手を合わせた。

十七歳で付き合いの始まった娘の家に、二年経《た》たなければ仲人が差し向けられないというのは、尋常な話ではない。これほどまでに遅れたわけは、亮助の母親、おみよがこれ以外のことを受け入れなかったからだ。

「茗荷屋の嫁は、二十歳の娘に限ります。二十歳より若くても年上でも、その嫁はうちに仇《あだ》をなします」

おみよは易断《えきだん》に凝っていた。

あさがお作りには口をはさまなかったが、それ以外の暮らしのことは、すべておみよが差配した。

一年は春の立春に始まって冬の大寒で終わる、二十四節気《にじゅうしせつき》に分かれている。ひとつの節気がおよそ十五日、それが二十四回の節目となって移ろい変わる。

おみよはこの節気ごとに、要助、亮助ふたりの寝る方角を変えた。ときには寝る場所まで別の部屋に移した。

宿から外へと踏み出す、最初の一歩が右足か左足か。これも節気ごとにうるさく言った。

「おれは聞いていられねえ」

要助は従うことを撥《は》ねつけた。

息子はそうもいかず、母親の指図に従った。うっかり間違えた足から踏み出したときには、玄関に戻ってやり直した。

朝飯の味噌汁《みそしる》の具は、一年を通じて深川でとれるしじみである。具は変わらなかったが、味噌は白味噌になったり、赤味噌になったりした。

このほかにも数えあげればきりがないほど、茗荷屋の暮らしには決め事があった。すべておみよが、易断に基づいて決めたことである。

始末がわるいのは、節気が移ると決め事が変わることだった。

一年交替ではない。十五日ごとの節気替わりである。

「うちを思ってのことだ。面倒でもおまえは言うことをきけ」

要助当人はほとんど従わないものの、息子には守れと言い置いた。

この母親が、嫁は二十歳の娘だと言い切った。あさがお作りのほかには、なにも気を動かさないに等しい要助は、女房が言うままを支えた。

会ってもいないおなつに、おみよは文句をつけたわけではない。さりとて相手が十九歳になるまでは、断じて会おうとはしなかった。

亮助から頼み込まれた日の夜、おなつは徳蔵にそのことを話した。

「ばかも休み休みにいいなさい」

徳蔵は話の途中でいきり立った。おてるも話の中身に含むところがあるらしく、取り成しの口をはさまなかった。

「ご都合は、なにも先様だけに限ったことじゃない。商いをやっているうちにも、世間体もあれば、お得意先の手前もある」

仲人が来るのが一年先だと知らされた徳蔵は、こめかみに血筋を浮かべていた。

「方々から、おまえに縁談をという話が持ち込まれているんだ。相手もおまえを好いているのなら、母親を説き伏せるのが筋だろう」

これまで娘の前で声を荒《あら》らげることのなかった徳蔵が、このときばかりは手をあげかねない剣幕だった。

おなつは亮助をかばうことを、父親の前ではあえて言わなかった。ただ、黙って徳蔵を見詰めるだけだった。かばい立てしたりすれば、さらに父親が怒りを募らせると分かっていたからだ。

ただし、答えを出すことを先送りにはしなかった。どれほど徳蔵が腹を立てようとも、こちらが従わない限り、まとまらない話である。おなつはなんとしても、亮助に嫁ぎたかった。なにが欲しいか、はっきりと自分では分かっていた。

「あたしは、亮助さんの元に嫁ぎたいんです。業腹《ごうはら》でしょうが、なにとぞあたしのわがままを許してください」

父親にしっかりと目を合わせて、おなつは同じことを何度も口にした。

遠い昔、正月の凧《たこ》が風で飛ばされたことがあった。そのときおなつは、あたいはやってないと父親に訴えた。

いま頼み込んでいるおなつは、あの朝と同じ目をしていた。

徳蔵も娘の目を見て、遠い日の一件を思い出したようだ。

新しい凧を買い求めて弁償しに出向いたとき、おなつのせいではなかったと知らされた。娘の言い分を本気に聞かずに、安易に凧を買い求めたことを、その日徳蔵は深く恥じた。

真夜中を過ぎて日付が替わったとき、徳蔵は娘の言い分を受け入れた。

母親のおてるは、まだ得心できていないようだった。が、徳蔵の決めたことに従った。

仲人は文政七年九月十三日にやってきた。

祝言は翌年の同じ日に、深川門前仲町の料亭、江戸屋の広間で催された。

茗荷屋には大勢の客を招きいれる広間がなかった。しかしそれは言いわけである。

「茗荷屋どのの今年の吉方《えほう》は未申《ひつじさる》と出た」

江戸屋は茗荷屋の南西にあった。

祝言の段取りすべてを、茗荷屋のおみよが取り仕切った。仲人の一件を受け入れたあとの徳蔵は、一切の口を差し挟まず、茗荷屋の差配にゆだねた。

「おとっつあんから言うことは、なにもないの？」

祝言の日取りから宴《うたげ》の次第に至るまで、徳蔵はなにひとつ言い分を口にしない。それに焦《じ》れて、おなつが父親をせっついたりもした。

「おまえが望んで嫁ぐ話だ。よけいな口を挟んで、先様の気分を損ねないほうがいい」

黙っていることが娘の行く末には効ありと、徳蔵はわきまえているようだった。

祝言の年の夏には、徳蔵はことのほかあさがおの手入れに励んだ。新しく買い求めてくるどの鉢にも、茗荷屋の札が刺さっていた。

遠からず婚家先となる要助の鉢を大事にすることで、徳蔵は娘の幸せを祈っているようだった。

言い分を胸におさめて黙っている父親を見て、おなつは何度も涙をこぼした。

嫁ぐまでの日々の中で、おなつは亮助の姑《しゅうとめ》には思うところを幾つも抱えた。しかし言い立てると、亮助を追い詰めてしまう。それが分かっているだけに、おなつは黙った。

それほどに亮助を好いていた。

つらくなると、初めての逢瀬《おうせ》の日に永代橋でいつまでも手を振っていた、亮助の姿を思い出した。

そうして乗り切ってきたことで、いまおなつは金屛風《きんびょうぶ》の前で、亮助と並んで座っていた。

やっとこの日を迎えることができた安堵《あんど》の思いが、胸一杯に詰まっている。それをひとつずつ思い出しているおなつは、繰り返される祝いの口上を、ほとんど聞いていなかった。

これで、ようやくおとっつあんに安心してもらえる……。

この思いがなにより大きかった。

小さいながらも、伊勢屋は田町でただ一軒の酒屋である。松阪に引っ込んだ初代は、湊町の問屋と掛け合って、灘《なだ》の下り酒を伊勢屋に引いた。田町から高輪にかけての一帯で、下り酒を商うのは伊勢屋だけである。それが看板となって、四間間口《よんけんまぐち》の酒屋に多くの得意客がついていた。しかも奉公人が小僧ひとりの酒屋ゆえ、納めではなく、店に出向いてくる客がほとんどである。そんな商いが成り立ったのは、ひとつは灘の下り酒を扱っていたからだ。

もうひとつは、徳蔵の人柄が客に好まれたからである。

ひまさえあれば本を読む。

季節になれば、毎日暗いうちに起きて、あさがおの手入れをする。浮いた話はなく、夫婦仲もいい。

これを客は知っていた。なかでも徳蔵の本好きは、田町界隈《かいわい》でも知れ渡っていた。

ひとに信頼されている徳蔵が、おなつの縁談では、苦しい言いわけを強いられてきた。

おなつが深川の職人と恋仲であることは、おなつが自分の振舞いで言いふらしていた。ところが一向に仲人が話をまとめにあらわれない。遠慮のない客は、面と向かってそれを問うた。

「いろいろと、うちにもよんどころないわけがありまして……」

相手の家の都合で、先延ばしになっているとは言えない徳蔵は、訊《き》かれるたびに口を濁した。

仲人がたずねてきたあとは、もっとつらいことになった。

「おなつちゃん、まさか破談じゃあないわよねえ」

亭主の酒を買いにくる女房連中は、のぞき込むような目であけすけなことを問うた。

徳蔵はあいまいに笑って、相手にはならなかった。

仲人が田町にたずねてきてから、丸一年である。おなつは顔を伏せたまま、座敷隅の父親を上目で見た。

江戸屋は味のよさで名を知られた料亭である。しかし徳蔵の祝膳《いわいぜん》には、ほとんど手がついていなかった。

他の客の目を意識してのことか、背筋をぴんと張ったままである。娘を嫁に出す祝宴にあっても、徳蔵は商人の本分を忘れていないようだった。

対する亮助の側は、遠慮のない話を大声で交わして盛り上がっていた。おなつの前に座り込んで、酒を勧める客までいた。酒を勧めるだけではなく、角隠しのなかを下からのぞき込む者までいた。

そんななかで、徳蔵は料理に手をつけず、酒も呑《の》まず、背筋を張り続けていた。

ひたすら娘の幸せを願う、物静かな居住まいである。

何度見ても、徳蔵は姿勢を崩していなかった。おなつは父親の思いが切なくて、いく粒かのこらえきれない涙をこぼした。

「みねえ、花嫁さんを」

おなつがこぼした涙を、亮助側の祝い客が目ざとく見ていた。

「亮助に添い遂げられて、うれし涙をこぼしてらあ」

亮助側の座が、うわっと沸き返った。

流した意味を取り違えられたおなつは、口元に力をこめて、あとの涙をこらえた。

八

「何度言えば分かるの」

嫁いだ翌日から、日に三十回はこの言葉で姑《しゅうとめ》に叱《しか》られた。あるときは目を吊《つ》り上げており、ときには呆《あき》れ果てたという目で嫁を見下すおみよにだ。

何度言えばというのは、おみよが十五日ごとに替える家事の手順である。

茗荷屋には、住み込みの見習い職人が五人いた。いずれも二十歳手前の若者である。

おみよは家人と奉公人の賄《まかな》いのために、口入屋から飯炊《めした》きを雇い入れた。

しかしどの女中も十日と続かない。易断に凝ったおみよの、口やかましさに辟易《へきえき》してのことだ。二年前からは、賄いはおみよが担《にな》っていた。嫁いできたおなつは、途中で暇乞《いとまご》いを言い出さない女中のようなものだった。

文政八年九月十四日の朝六ツ（午前六時）に、おなつは流し場の板の間で姑と差し向かいに座った。天井の明かり取りに雨粒がぶつかる、薄暗くて肌寒い朝だった。

「右のへっついから先に火を入れてちょうだい。飯炊きは真ん中で、味噌汁《みそしる》は左。右のへっついには大鍋《おおなべ》を載せて、湯を沸かして」

へっついの使い方ひとつですら、あたまでは覚え切れない。おなつは居室に駆け戻り、半紙と矢立《やたて》とを持ってきた。

「嫁ぎ先で本読みをするときに使いなさい」

徳蔵はおなつが身の回りで使う嫁入り道具として、百枚締めの半紙五束と、矢立に筆、墨、すずりを持たせてくれた。嫁いだ夜の翌朝から、おなつは本読みとは別のことで半紙を使おうとした。

「紙を無駄に使うなんて、おまえはどんなしつけをされたの」

おみよがいきなり目元を険しくした。

「あたしの指図を書き留めたいなら、仕事場に行って反故紙《ほごがみ》をもらってきなさい」

おなつは、ことの始まりからおみよに叱られた。

「はい、分かりました」

ことさら元気よく返事をしたら、それもまた睨《にら》まれた。

それでもなんとか書き留めて、おなつは飯を炊き、味噌汁をこしらえた。釜《かま》は実家で使っていた物より四倍も大きい二升炊きである。味噌汁を煮る鍋も、見慣れた物より三倍は大きなものだった。

炊事初日の朝飯は、散々なできで終わった。二升炊きの水加減も火加減も分からず、水っぽい炊き上がりになった。

実家で使う味噌汁は、伊勢屋先代の口に合わせた昆布ダシである。おてるは姑から教わった味を続けていた。おなつも母親から昆布ダシの味噌汁を教わった。

茗荷屋は煮干だった。使ったことのない煮干に戸惑ったおなつは、鍋に張った水が隠れるほどに煮干を入れた。わきでおみよが見ていたが、なにも教えてはくれなかった。

具はしじみだ。煮干を取り出したあと、しじみをいれて味噌を溶いた。煮干が強すぎて、しじみの味を抑えつけた生臭い味噌汁になった。味見をしたおみよは、味付けを教えてはくれなかった。

茗荷屋の食事は、家人も奉公人も一緒に食べる。飯にひと箸《はし》つけた要助は、水っぽいことに顔をしかめた。味噌汁はひと口すすって椀《わん》を膳《ぜん》に戻した。それっきり口をつけず、新香《しんこう》と佃煮《つくだに》だけで飯を終えた。

「ごめんなさい。ご飯もお味噌汁も、しくじっちゃいました」

茶を呑《の》む舅《しゅうと》に、おなつは詫《わ》びた。奉公人たちもいたが、気にしなかった。

要助は黙って茶を呑むだけで、嫁いできたばかりのおなつを見ようともしなかった。その振舞いは意地悪ではなく、無関心そのものに思えた。

棟梁《とうりょう》が無口であるためか、亮助も見習い職人たちも、無言のまま食べ続けている。美味《うま》いもまずいも、ひとこともなしだ。

徳蔵は出された料理を残さず食べたが、ひとこと味がどうだったかを言い添えた。食事の間、親子三人は話を交わした。

「口のなかにものをいれたまま、しゃべったりしてはいけません」

行儀がわるいときには、母親にたしなめられた。それでも、なにかしら話をしながら食べた。黙々と箸だけを動かす朝飯が、おなつには不気味に思えた。

この先、ずっとこんな食事なのかしら。

初めての賄いをしくじったことも重なり、おなつは胸のうちで大きなため息をついた。

茗荷屋の炊事を進めるなかで、おなつがもっとも戸惑ったのは水だった。

田町の実家には水道が引かれていた。飲み水は流し場の樋《とい》から、いつでも流れ出ていた。雨が少ない冬場は、水涸《みずが》れで流れてこないこともあった。また大雨が続いたあとの幾日かは、濁り水しか出てこないこともある。

そんなときには、町の方々に掘られた水汲《みずく》み井戸の水を用いた。水道にしろ井戸にしろ、水には不自由はしなかった。

深川はまるで違った。

井戸はあっても塩辛くて飲み水にはならない。煮炊きに使う水は、水売りから毎日買った。これがなによりおなつには不便だった。

流し場には二荷《か》（約九十二リットル）の大きな水がめがある。これに毎日水を買い入れるのだが、おなつはかめの水の使い方に慣れてなかった。無駄使いはしないものの、水は好きなだけ使って育ったのだ。

深川では、使い方がわるいと水を切らしてしまう。台所に立った当初の幾日かは、水売りがくる手前で水がめをからにしてしまった。

「どうする気なの、水はひとが生きていく命でしょうが」

水を切らすと、こっぴどく叱られた。そして「何度言えば分かるの」の、叱り言葉が続いた。

嫁いだときの節気の寒露が、霜降《そうこう》、立冬へと移ろった。その都度、家事の手順が入れ替わった。

できていることには目をつぶり、できなかったこと、しくじったことをあげつらう。おなつが育った伊勢屋とは、まるで逆のあり方だった。

おてるは口やかましい母親である。ことあるごとに、おなつは母親に小言を言われた。ともに暮らしていたときは、叱られる途中でそっぽを向いて、聞こえないふりもした。それで母親の怒りをさらに煽《あお》り立てたことがたびたびあった。

が、おてるは娘がなにかを成し遂げたときは、目一杯に、聞いているほうが赤くなるほどに誉《ほ》めた。

徳蔵と一緒に育てたあさがおが、赤い花を咲かせたとき、おてるは店の客に自慢した。

あさがおがつぼみを膨らませるのは、夜中の九ツ半（午前一時）ごろで、満開は七ツ（午前四時）ごろだ。咲いた花は、朝の五ツ半（午前九時）にはしぼんでしまう。おてるは夏の朝日が顔を出す七ツ過ぎに、心安い客を呼んでおなつの育てたあさがおを見せることまでやった。

叱るだけで誉めることをしない姑と向き合う毎日のなかで、おなつから生来の明るさがひとつ、またひとつと失《う》せて行った。

つらくて仕方がないが、亮助にこぼすわけにはいかない。連れ合いが母親を大事に思っているのを、おなつはわきまえていた。

親を大事にする心根がおなつは好きだ。たとえひどい姑でも、亮助には大事な母なのだ。

それを思うと愚痴がこぼせなくなった。

「おふくろとうまくやってるか？」

毎晩、同じことを亮助はたずねた。

「大丈夫よ」

そうではないと察してと願いつつ、おなつは違う答えを口にした。亮助は言葉だけで安堵《あんど》し、すぐに寝息を立てた。

おなつは連れ合いと話ができないことよりも、好き勝手に本が読めないことのほうがつらかった。亮助も父親の要助も、まるで本を読もうとしない。姑のおみよが手にするのは、易断にかかわる暦だけだ。

月に二度、担《かつ》ぎの貸本屋が茗荷屋をたずねてきた。本を借りることには、おみよは文句をつけなかった。が、こっけい話や物語が書かれた黄表紙を借りようとしたら、いつもおみよがきつい目で睨んだ。

それでもおなつは本を借りた。借りながら、本を読むのにも肩身の狭い思いをすることがやりきれなかった。

思うまいとしても、本好きの徳蔵にたまらなく会いたくなってしまう。が、胸のうちの思いを姑に見咎《みとが》められそうな気がして、欲しい本を手にしたあとは部屋に引きこもった。

亮助の大きないびきを聞きながら、行灯《あんどん》の暗い灯で読む本が、おなつの唯一《ゆいいつ》の楽しみだった。

九

おなつが嫁いで四年目に差しかかった文政十二（一八二九）年五月十三日。梅雨のさなかで、茗荷屋はあさがおの苗作りに追われる日々が続いていた。

六ツ（午前六時）を過ぎても起きてこない姑《しゅうとめ》に、おなつは部屋の前で呼びかけた。

苗作りの追い込みまっ只中《ただなか》のこの時季は、舅《しゅうと》と姑は別々の部屋で寝起きをする。仕事に気が行っている要助が、ひとりの寝起きを欲しがったがゆえである。

「おっかさん……おっかさん……」

呼びかけても返事がない。おなつはいやな胸騒ぎを覚えた。朝飯の支度を始める六ツになっても、おみよが顔を見せないことなど、嫁いでから一度もなかった。

「おっかさん……入りますから」

少し大声で断わってから、おなつはふすまを開いた。梅雨寒が続く毎日のためか、おみよは厚手の布団《ふとん》をかけて寝ていた。

「おっかさん……」

ふすまのそばから呼びかけたが、おみよは眠ったままで動かない。その動かなさが尋常ではなかった。おなつは枕元《まくらもと》に寄った。

おっか……まで口にしたおなつが、あとの言葉と息を呑《の》み込んだ。

おみよは永久《とわ》の眠りについていた。

おみよが逝《い》ってからは、茗荷屋の毎日に締りがなくなった。それは意外にも、おなつがもっとも強く感じていた。

どのへっついから火をつけようが、なにから煮炊《にた》きを始めようが、文句を言う者がいないのだ。

四年間、おみよに口うるさくしつけられたことで、おなつは二十四節気の移ろいを身体《からだ》で覚え込んでいた。

姑の一周忌を翌月に控えた四月のいまでも、おなつは節気の変り目を気にしていた。へっついの火熾《ひおこ》しは、いまだにおみよが最後に定めたときのままである。

うっとうしいだけだと思っていた姑の存在が、欠けたあとでおなつのなかで膨らんでいた。

亡《な》くなってしばらく経《た》った秋の朝、おなつは姑の部屋の押入れを掃除しようとした。おみよの几帳面《きちょうめん》な性分そのもののように、隅々まで片づけが行き届いていた。

衣類を仕舞った柳行李《やなぎごうり》の後ろに、五冊の本が仕舞い込まれていた。どの本も、市川団十郎の挿絵が描かれた黄表紙である。粗末な刷り本だが、五冊とも鏝《こて》でもあてたかのように、折りじわひとつなかった。

どんな思いで、この本を押入れの奥に仕舞っていたのか。切なさが込み上げてきたおなつは、元の場所にそっと戻して押入れのふすまを閉じた。

おみよが逝ってから、舅の様子が大きく違った。もともとが寡黙《かもく》で、おなつに関心がないような要助だったが、おみよがいなくなってからは、さらにその度合いが進んだ。

部屋の掃除も洗濯も、おなつの手を借りずにひとりでこなし始めた。

「おとっつあんが、自分で洗濯をするってきかないの。あなたから、やめるように頼んでください」

「勘弁してくれ。親父《おやじ》と話をするのは苦手なんだよ」

「なにばかなことを言ってるの。あなたのおとっつあんじゃないの」

「そうだけどよう……とにかく親父とは、普通の話ができねえんだ」

亮助は父親との話し合いから逃げ続けた。

要助は、仕事始めから床に入るまで、仕事の指図のほかはだれとも口をきかなくなった。

おみよがこの家の差配をしていたときは、逆らうにしても従うにしても、必要な口は開いた。夫婦で話している姿を、おなつは何度も目にしていた。おみよを仲立ちにして、要助は息子と話すこともあった。

おみよが逝ってからは、茗荷屋がばらばらになろうとしていた。

その大きなわけは、要助の振舞いにあった。おなつや息子とろくに口をきかないだけでなく、職人や小僧に対してもまるで指図をしなくなっていた。

「親方はどうされちまったんで……」

仕事の手順が分からずに、途方に暮れた職人が亮助を相手に嘆いた。問われても、亮助にも答えようがない。

「しばらくは、親方のすることを黙ってなぞるしかねえだろう」

仕上げは要助の仕事である。職人も亮助も、あさがお栽培の定まった手順を、黙々とこなすのみの日が続いた。

おなつもすでに二十五歳である。

生前のおみよは、子宝が授からないことに面と向かって文句をつけた。

「いつまでも若いわけじゃないんだからね」

授からないのは、おなつの心がけがわるいからとまで言われた。家事のことはともかく、赤ん坊ができないことを責められたときは、腹の虫がおさまらなかった。

腹いせに、姑の腰巻を洗濯板に思いっきりこすりつけたりもした。生来が陽気なおなつには、その程度の仕返ししか思いつけなかった。そんな自分に、何度も腹を立てた。

子宝のことを責められると悔しかったが、なにも言われない日々は気が抜けたようだ。

亮助との夫婦仲は、すこぶるうまく行っていた。ともに暮らし始めて五年になるが、姑が達者だったころよりも、おなつを求める日が多くなっていた。

舅はひとつ屋根の下で暮らしながら、ひとり暮らしも同然である。過ぐる五年のなかで、だれよりもおなつにこころを開かなかったのが要助だった。

このごろでは、おなつは舅とのかかわりを半ば諦《あきら》めていた。

一周忌を目前に控えた五月三日の朝。

いつものようにへっついに火熾しをしていたとき、要助がうつろな目をして台所にあらわれた。寝巻きの紐《ひも》がだらしなくゆるんでおり、手には越中《えっちゅう》ふんどしをさげていた。

「あら、おとっつあん。お早いですね」

尋常な様子でないのは、ひと目で分かった。が、おなつは努めて普通の物言いをした。

「寝ていて、小便を漏らした」

要助の声が震えていた。失禁したことにうろたえていたのだ。

「そうですか」

おなつは明るい声で笑いかけた。

「あたしが洗いますから」

力なく板の間に突っ立っている舅の手から、おなつはふんどしを取った。要助には逆らう気力もなさそうだった。

「おふとんも、陽が出たら干しておきますからね」

なにごともない調子で話しかけた。

「よろしく頼む」

要助の物言いは、腑《ふ》抜《ぬ》けたままだった。

洗ったふんどしを部屋に届けたが、要助は相変わらず礼を言うでもなく、おなつと口をきくこともしなかった。

それでもおなつは、要助のふんどしを洗った日を境にして、舅の部屋に勝手に入って片づけを始めた。汚れ物を見つけたら、構わずに洗濯をした。半纏《はんてん》は洗ったあとで、鏝をあてた。天気のよい日には、敷布団を陽に干した。

要助は、相変わらず礼を口にするでもなかった。が、おなつが洗濯することを、嫌がる様子は見せなかった。

「このところの親父は、どうも様子がおかしい」

五月六日の夜、おなつと睦《むつ》みあったあとで亮助が心配そうな声で話し始めた。

「おれや見習い連中を遠ざけて、ひとりで柵《さく》をこしらえてる」

「それがどうしておかしいの」

「だれにも手伝わせようとしねえんだ。なんだか、物に取り憑《つ》かれたみてえだぜ」

「おっかさんの一周忌に、咲かせようとしているんじゃないのかなあ」

「そうじゃねえ」

「どうして？」

「柵はふたつ拵《こしら》えてるからさ」

おなつの言い分に得心しないまま、亮助はあっという間にいびきをかき始めた。

一夜明けた五月七日の朝、六ツ。

梅雨の中休みで、おもてはすでに明るかった。いつも通り、おなつは台所に立ったが、なにか外の気配に違和感があった。

なにが違うのか分からずに、台所から庭につながる板戸を開けた。

「あっ……」

おなつの目がまん丸になっている。

高さ三尺、幅六尺の柵に、二十五本のあさがおが巻きつけられていた。咲いているのは、赤いあさがおひと色。数え切れないほどに咲いた花が、柵を埋め尽くしていた。

柵の根元には、差し札があった。

茗荷屋が得意先に納めるときの、屋号を描いた差し札である。

『おなつさま　茗荷屋要助』

舅が嫁にあさがおで答えていた。

亮助は、柵をふたつ拵えていると言った。

見なくても、だれに供えるものなのかを察した。

五月七日は芒種《ぼうしゅ》だから……。

おなつは、いまの節気のへっついの手順を思い出そうとしていた。

「年年歳歳、花同じからず」

川村　湊

あまりにも人口に膾炙《かいしゃ》しすぎているので、引用するにも気が引けるが、「年年歳歳花相似たり、歳歳年年人同じからず」という唐の劉廷芝《りゅうていし》の詩句がある（『白頭を悲しむ翁《おきな》に代わる』）。年々に、歳々に、草木は季節が訪れれば、同じような花をつけるが、同じ人間は二度とは現れない、というほどの意味であろう。

本当だろうか。といって、この詩句に異議をさしはさみたいのではない。同じ花のように見えても、それはやはり異なったところがあるのではないか。人は違ったように見えていても、同じような心や感情や気持を持っているのではないか。そんな小さな疑問を、ちょっと口にしてみたいと思ったまでだ。

朝顔は、戦国時代に中国（唐土）から日本へ渡ってきた外来種の植物だが、当時の花は「青」一色だったという。「江戸初期に貝原益軒《かいばらえきけん》が書いた花譜には、あさがおの色違いの品種もみられるが、花色数はまだわずかであった」と本書の「芒種《ぼうしゅ》のあさがお」のなかに引用された「ものの本」にはある。白や紅や紫や藍《あい》や茶色など、多色多様な朝顔の花は、まさに年年歳歳、その花の色のヴァリエーションを増やしてきたといってよい。花も、また〝相似ず〟して、〝同じから〟ぬものなのである。

思いつきめいた、偏痴《へんち》気《き》論を振り回したいのではない。『いっぽん桜』のなかに収録された花の題の短篇小説「いっぽん桜」「萩《はぎ》ゆれて」「そこに、すいかずら」「芒種のあさがお」の四編について、その〝花物語〟のなかに、歳歳年年、同じからぬ花が咲き、年年歳歳、同じように人の心が描かれていると感じずにはいられなかった、といいたいまでのことだ。

時代小説という。あるいは人情時代小説という。山本一力氏の小説は、まさに人情時代小説である。坪内逍遥《しょうよう》は、小説の神髄は「人情」を描くことにあると喝破した(「小説の主脳は人情なり」『小説神髄』)。それは時代小説においても、現代小説においても、本質的には変らないはずだ。とすれば、ことさらに人情時代小説などという言葉を使う必要があるだろうか。時代によって人情が異なることを書かなければならないから人情時代小説が書かれるのだろうか。いや、違う。時代が変っても、変らない人情を書くことが、人情時代小説の存在意義なのである。

表題作「いっぽん桜」は、四十二年間、深川門前仲町の大手の口入屋《くちいれや》（奉公人の斡《あっ》旋《せん》業）井筒屋に奉公してきた長兵衛が、店から暇を出されるという話である。もっとも、主人の重右衛門が隠居し、若旦那の仙太郎に代を譲るに伴い、頭取番頭の長兵衛にいっしょに勇退してもらいたいといわれたのだから、単に〝暇を出される〟のとは、ちょっとわけが違うのだが、長年の奉公の熱意と誠意、そしてその実績に自負を持ち、落ち度も気力の衰えもない五十半ばの長兵衛にとっては、それは寝耳に水といってよい、テイの良い馘首（クビ）にほかならなかったのである。

業績や成績の決して悪くない管理職を、早めにリタイアさせる。それは現代の企業や組織においても、往々にしてあることだ。知らず知らずのうちにマンネリ化し、硬直化した組織や制度を新陳代謝させるために、人心の一新という荒療治が必要な場合がある。それも、業績や営業成績が好調のうちに始めなければならない。業績が下り坂になってからの改革や変革には、不成功や失敗するだけの余裕がなく、背水の陣を迫られ、それは一種の賭《か》けとならざるをえない。業績が好調であるうちは、たとえそれが失敗に終わろうと、回復ややり直しの手だてを尽くすことが可能だからである。

江戸時代の大店《おおだな》だろうと、現代の企業だろうと、そうした経営の戦略や戦術、あるいはノウハウにはあまり変るところはない。頭取番頭として、井筒屋の経営陣に参画していた長兵衛は、もちろんそうした企業の論理、組織の方法論を知らなかったわけではない。ただ、自分がそうした環境や状況に追い込まれるということに関しての想像力に乏しかっただけなのである。

「いっぽん桜」を読んで、それがあまりにも現代の企業社会、サラリーマン社会に「相似たり」ということに、一種の感慨を持たざるをえない。しかし、だからといって、江戸時代の商人文化の世界と、現代の産業社会、企業文化の社会が、まったく完全に重なるものではない。口入屋とは、現在ならば人材派遣業であり、職業安定所《ハローワーク》のような社会的な役割を担う組織である。雇い主と奉公人の双方から信頼されなければならぬ口入屋の番頭（営業担当の取締役というところだろう）は、経営者団体や労働者組織の両方の情報に通じ、斡旋、周旋の影響力を持たなければならない。だが、一番重要なことは、時代の変化、すなわち産業社会の変化と雇用形態の変動に対する動態視力のようなものを持つということである。

長期的な時代認識の視野から見れば、井筒屋のような老舗《しにせ》の口入業は、変化せざるをえない転換期にさしかかっていたといってよい。当主の重右衛門は、七代目であり、これまでの商売は「井筒屋は奉公先を求める者に成り代わり、給金と休みを掛合う。周旋するのは下男や下女などの下働きが主で、一年年季の奉公人がほとんどである」

というものだった。信用と信頼を第一とし、お得意様と奉公人をつなげるのに誠意一筋に商売をやってきたということだ。

だが、近世中期の資本主義社会は変化する。隠居の発表の席で重右衛門は、印旛沼《いんばぬま》の開拓が始まる旨の話をする。手堅い商家や武家に奉公人を斡旋することを中心として口入業を行っているうちは、長兵衛のような石橋を敲《たた》いて渡るような堅実なやり方でもよいが、開拓工事のための人集めには、積極的に人手を求めて「相模《さがみ》や信濃《しなの》にこちらから出向き、千束屋などに先駆けて椋鳥《むくどり》（出稼ぎ人）を捉《つか》まえる」ことが必要である。それまで口入屋に必要だったのは、奉公人の「人柄と身寄りを見定める目利《めき》き」であり、また得意先の「内情（内証）」に通じることだった。つまり、周旋する奉公人と奉公先の両方から信頼されることであった。だが、人手不足、単純な労働力の確保ということに重点が移っているとしたら、それまでのそうした商売のやり方はむしろ業務のマイナスやブレーキとなってしまうだろう。積極的な人集めと、時には早いうちの見切り。迅速さと量の確保。重右衛門の隠居の決意は、これまで井筒屋に繁盛をもたらしてきた自分や長兵衛の商売のやり方自体が、新しい変化した社会相に対応しようとする若い後継者たちの足を引っ張るものとなってしまいかねないことを恐れた結果なのである。

長兵衛にも、そうした変化が飲み込めないわけでもない。しかし、四十二年もの間、大過なく「うちの」家業を盛り立ててきた彼にとって、その商売の形を変えるということは、白髪《しらが》を悲しむ老人を紅顔の少年に戻し、枯木に花を咲かせようとするような、よしなし事である。時代小説とは、一時代や数時代前の社会を舞台とした小説ということではない。時代が流れ、時代が変化したことをはっきりととらえた小説の謂《い》いなのであり、そして時代がいくら変ったとしても小説の主脳としての「人情」が不変であることを示す小説なのである。

人の気持は変らずとも、人の社会は変ってゆく。だとすれば、世間や社会の表層に浮游《ふゆう》する人間の心も、気ままに、浮薄に移り変ってゆくだろう。青々たる春の柳は、庭に植えるべきではない。葉の色も変らないうちに、人の心は簡単に変ってしまうからだ。しかし、人の気持（心）は、必ずしも「人情」とは一致しない。移り変りやすい世界のなかにあって、夢や幻のようにあえかなものだからこそ、不易なものとしてあるのだ。

「いっぽん桜」の桜は、きまぐれのようにしか花をつけない桜である。そのために、長兵衛は娘のおまきと花見をするという希望（期待）を裏切られ続けてきた。年年歳歳、歳歳年年、この桜は〝相似た〟花をつける植物ではなかったのである。しかし、人の人情は変らない。それは、リストラされ、リタイアした一家の主人に対するその妻や娘たちのやさしい心遣いであったり、それを家族の者たちに告げたくないという家長の虚勢に近いプライドであったりする。そういう意味では、「いっぽん桜」で物語られている長兵衛とその職場としての井筒屋という「会社」、そして家族との関わりといったものは、現在のサラリーマンのリタイアの悲哀を描いた現代小説と、その「人情」の描き方において相似的であり、共通しているといえるのである。

しかし、変らない「人情」というのも、むろん小説としての虚構（フィクション）である。むしろそれは、小説の世界が変らせたくない「人情」の世界というべきものだろう。「萩ゆれて」や「そこに、すいかずら」では、萩や忍冬《すいかずら》は、変ることのない、耐えることの象徴としての花である。武士から漁師、あるいは魚屋へという身分の転換は、普通ならば耐えることのできない激動であり、激変である。三千両をかけた豪華絢爛《けんらん》たるひな人形を手放さなければならないことは、大店の没落の象徴以外のなにものでもない。しかし、そこに凛然《りんぜん》とつながっているのは、夫や妻がその配偶者を思う気持であったり、父が娘を、舅《しゅうと》が嫁を思い遣《や》る心根なのである。失われた夫婦愛や家族愛。しかし、それは無くなったのではなく、見えなくなっただけだ。「人情」は江戸時代から現代まで、日本人の心根に生き続けているものにほかならない。

山本一力氏の「人情時代小説」には、そうした年年歳歳、〝相似た〟人情のドラマがあり、歳歳年年、変ってゆく花の色に似た物語の艶《あで》やかな文模様がある。変らないものを求めて、「時代小説」というタイムマシンに乗って。

（二〇〇五年八月、文芸評論家）

この作品は平成十五年六月新潮社より刊行された。

宇江佐真理著

春風ぞ吹く
―代書屋五郎太参る―

25歳、無役。目標・学問吟味突破、御番入り――。いまいち野心に欠けるが、いい奴な五郎太の恋と学問の行方。情味溢れ、爽やかな連作集。

諸田玲子著

幽恋舟

闇を裂いて現れた怪しの舟。人生に疲れた男は狂気におびえる女を救いたいと思った……謎の事件と命燃やす恋。新感覚の時代小説。

平岩弓枝著

橋の上の霜

苦しみながらも恋に生きた男――江戸庶民を熱狂させた狂歌師・大田蜀山人の半生を、細やかな筆致で浮き彫りにした力作時代長編。

北原亞以子著

まんがら茂平次

江戸は神田鍛冶町裏長屋。嘘八百でこの世を渡るまんがらの茂平次。激動の維新期に我が身を助ける嘘っぱち人生哉！ 連作長編12編。

池波正太郎著

おせん

あくまでも男が中心の江戸の街。その陰にあって欲望に翻弄される女たちの哀歓を見事にとらえた短編全13編を収める。

藤沢周平著

静かな木

ふむ、生きているかぎり、なかなかあの木のようには……。海坂藩を舞台に、人生の哀歓を練達の筆で捉えた三話。著者最晩年の境地。

新潮文庫最新刊

宮城谷昌光著
香乱記（三・四）
中国の人口が半減した楚漢戦争。項羽の虐殺にも劉邦の陰謀にも与せず、民の側に立ち続けた不屈の英雄田横を描く歴史小説の金字塔。

曽野綾子著
哀歌（上・下）
ゴキブリ（ツチ族）を殺せ！――100日で100万人が犠牲になったとも言われるルワンダの悲劇をテーマに、真実の愛を問う渾身の大作。

服部真澄著
エル・ドラド（上・下）
南アメリカ大陸の奥地で秘密裏に進行する企み。人類と地球の未来を脅かす遺伝子組み換え作物の危険を抉る、超弩級国際サスペンス。

諸田玲子著
恋ぐるい
稀代の才人、平賀源内には慕い寄り添う女がいた――牢獄に繋がれた男が、回想と妄想のなかで綴る女との交情、狂おしい恋の日々。

山崎マキコ著
さよなら、スナフキン
望んでいるのは、人から必要とされたい、ただそれだけ。美人じゃないけど、人一倍純情な女子学生・大瀬崎亜紀の仕事と恋の奮闘記。

浅田次郎著
僕は人生についてこんなふうに考えている
「自分の人生」に誇りを持て！　人々の希望と幸福を描いてきた著者がつむぎ出した157の言葉。一冊に凝縮された浅田文学の精髄。

いっぽん桜《ざくら》

新潮文庫　や－54－1

平成十七年十月一日発行
平成十八年五月二十日五刷

著者　山《やま》本《もと》一《いち》力《りき》

発行者　佐藤隆信

発行所　株式会社　新潮社

郵便番号　一六二―八七一一
東京都新宿区矢来町七一
電話　編集部(〇三)三二六六―五四四〇
　　　読者係(〇三)三二六六―五一一一
http://www.shinchosha.co.jp

価格はカバーに表示してあります。

乱丁・落丁本は、ご面倒ですが小社読者係宛ご送付ください。送料小社負担にてお取替えいたします。

印刷・大日本印刷株式会社　製本・憲専堂製本株式会社

ISBN4-10-121341-0 C0193